CW01091631

ISBN: 978-84-09-27770-4
Depósito legal: A-139-2021

Publicado en abril de 2021
Diseño y maquetación: Luca Paltrinieri - www.luchacreativa.com
Revisión editorial: Yolanda Martín - edicionesgil@outlook.es

A todos y cada uno de mis lectores, alumnos y clientes de los seis últimos años, porque sin ellos este libro no sería posible. Tengo la mejor comunidad del mundo.

A mi familia y amigos, por hacerme sentir tan querida, por los ratos de diversión que despejan la cabeza y las charlas interesantes que alimentan el alma.

A mi hijo Loren, porque una sabia amiga me dijo que «la maternidad despierta la mente» y, aunque en su día no la creí, doy fe que ha sido así.

ÍNDICE

AMPARO MILLÁN

Introducción

Has caminado durante largo rato. Estás algo cansado, pero también excitado por lo que viene a continuación.

Te encuentras en un lugar desconocido, frente a una serie de puertas cerradas que no dejan ver lo que hay detrás. Se supone que tienes que abrir una de ellas para seguir avanzando.

Sabes que, en algunas ocasiones, si el camino que encuentras no te gusta, te está permitido volver atrás y abrir otra puerta.

También sabes que, en otros casos, esto no es posible porque la puerta que elijas traspasar se cerrará tras de ti para siempre.

No es fácil, a veces ni siquiera posible, identificar qué puertas son unas y qué puertas son otras.

En este momento empieza a crecer tu ansiedad y un sudor frío te recorre la espalda... Miras a un lado y a otro, a todas esas puertas, cada una de las cuales te lleva a una posibilidad diferente, y te sientes indeciso respecto a cuál escoger.

Elegir nos hace libres, dicen, pero lo único que piensas ahora es que si no tuvieras posibilidad de decidir todo sería más fácil. No existiría el arrepentimiento, ni la parálisis, ni esa incómoda sensación de que, elijas la puerta que elijas, te estás equivocando o limitando porque hay un montón de alternativas que ya no podrás realizar.

Pues estás aquí ante ese dilema al que se han enfrentado millones de seres humanos en algún momento de su historia: cómo decidir y decidir bien.

Cómo abrir lo que se supone que es la *puerta correcta*, o cómo saber qué camino será el mejor para ti, o cómo seguir avanzando sin enfocarte en todo lo que has dejado atrás.

A veces esta tarea de decidir es tan abrumadora que lo que hacemos es quedarnos paralizados.

Ante el miedo a equivocarnos o arrepentirnos del camino tomado nos quedamos días, semanas, meses, a veces incluso años, sin hacer nada. Parados en ese *limbo* que es la *indecisión*, en esa encrucijada donde están todas las puertas delante de nosotros e intentamos inútilmente desentrañar cómo será nuestro futuro al elegir tal o cual alternativa. Perseguimos por todos los medios *acertar* en esa elección y esa presión nos paraliza.

Y como nunca tenemos claro que esa puerta será la *correcta* (la vida no fue diseñada para tener este tipo de certezas) seguimos absorbidos en nuestras disquisiciones mentales y postergando el tomar algún tipo de acción.

No hace falta decirte cómo acaba la historia: entretanto, entre nuestras dudas y desvelos, se pasa la vida...

Cuando perseguimos por todos los medios ACERTAR con una elección, la presión nos paraliza.

El tiempo, el bien más preciado del que consta nuestra existencia, se va acortando cada día. Y una cosa es sentir que lo aprovechamos viviendo con plenitud y disfrutando del camino, y otra cosa es pasar gran parte de ese tiempo en estos *limbos* donde lo único que crece es nuestra ansiedad e inseguridad.

Si te has sentido así alguna vez, es más, si ahora mismo te sientes absolutamente paralizado ante una decisión, pequeña o importante, espero que este libro que tienes entre manos te proporcione algunos recursos, pero sobre todo, ALIVIO.

Si en tu caso, cada puerta que abres en la vida te lleva a sentir ansiedad, tensión, miedo o un sentimiento fatalista de que te vas a equivocar hagas lo que hagas, en este libro encontrarás una verdad poderosa que puede revolucionar tu vida. Aunque profundizaré en ella a lo largo de todas estas páginas, no quiero esperar ni un minuto más para compartirla contigo.

Dicha verdad es la siguiente: no hay decisiones equivocadas si se toman con conciencia.

Es decir, bajo el enfoque correcto, es IMPOSIBLE equivocarse o arrepentirse de un camino tomado.

Sé que ahora, quizá, estás un poco extrañado y pensando: «esto no es así, hay malas y buenas decisiones y tengo montones de ejemplos al respecto». Y yo te respondo que sí, que efectivamente hay malas y buenas decisiones, pero eso no depende del resultado o de adónde te hayan conducido, sino del proceso que has seguido para tomarlas.

Puesto que, y siguiendo con nuestra metáfora, si en ese *limbo* en el que hay varias puertas sigues el enfoque y los pasos correctos, que voy a compartir contigo en este libro, todo aquello que está al otro lado va a ser bueno y positivo para ti. Por lo tanto, cuando cruces esa puerta puedes hacerlo sin ansiedad, preocupación o el temor a un arrepentimiento futuro.

Con el planteamiento adecuado, sencillamente te limitarás a comprometerte, disfrutar y aprender de ese camino escogido.

Y esto enlaza con el segundo motivo que me ha llevado a escribir este libro que es el de enseñarte un modelo para tomar decisiones con determinación y alegría. ¿Te imaginas sentir excitación al comenzar un camino nuevo, o una dulce sensación de anticipación porque sabes que te van a ocurrir cosas buenas, en vez de presión o miedo a equivocarte?

Espero que este texto que tienes entre manos satisfaga estas expectativas.

Mas ahora, querido lector, te voy a pedir que cruces mentalmente una puerta...

Una puerta que habrás traspasado en muchas otras ocasiones, tal vez sin darte cuenta, justo el momento antes de comenzar la lectura un buen libro, visionar una buena película o mantener una conversación poderosa: la puerta que separa el encuentro con una nueva idea que puede transformar ligera o sustancialmente nuestra vida.

Vamos, te espero al otro lado.

CAPÍTULO 1

¿Por qué un libro sobre las decisiones?

Tu vida actual, al igual que la mía, se ha conformado a través de una miríada de pequeñas elecciones tomadas a lo largo de los años. Algunas decisiones son pequeñas y no tienen mucha relevancia (por ejemplo, lo que has tomado esta mañana para desayunar) a no ser que se acumulen en el tiempo y entonces tengan un efecto compuesto: si habitualmente haces un desayuno sano tendrás mejor salud y más energía que si comes bollería industrial a diario.

Otras decisiones son enormes, abrumadoras.

No puedo evitar pensar en la angustia que sienten algunos jóvenes cuando les llega el momento de elegir que harán después del instituto: si estudiarán una carrera o un módulo —y en este caso ¿¡cuál!? ¡hay tantas posibilidades!— o si se pondrán a trabajar y ahora, la duda es: ¿en qué?, ¿por dónde empezar?

Por mi parte, recuerdo ese momento de decidir mi futuro universitario con cierta agonía. Elegir a qué universidad ir y qué estudios cursar fue, literalmente, una preocupación de varios años. Conozco a muchas personas que han estado en esta situación y no puedo dejar de preguntarme si, al margen de ser un problema personal de dificultad a la hora de tomar decisiones, es acertado que un joven de quince años, que ni se conoce del todo, ni tiene idea de cómo funciona el mundo, ni del estilo de vida que quiere llevar, tenga que empezar a escoger asignaturas cada año y, por tanto, a descartar posibles caminos.

Por si fuera poco, los profesores y otros adultos de mirada acotada nos hacían creer que una mala elección en esos años, como descartar alguna asignatura durante tus estudios, podía condicionar el resto de tu vida (ejemplo: querías estudiar Arquitectura a tus dieciocho años pero como no habías elegido Matemáticas y Dibujo Técnico en los años anteriores, te decían que no era posible, ¡como si no pudiera aprenderse esto en una academia, con un profesor particular o individualmente después!) lo que acababa añadiendo más presión al asunto...

Yo no sé cuántos test de tipo vocacional y aptitudinal hice, cuántas veces cambié de opinión, cuántas tardes pasé pensando sobre este tema hasta desfallecer y llegar a la descorazonadora percepción —basada en el desánimo y una idea equivocada sobre la vida— de que, eligiera lo que eligiera, me iba a equivocar.

Al final, resolví mi dilema estudiantil eligiendo una licenciatura que aglutinaba varias asignaturas de ciencias que me gustaban, que contaba con una parte de contribución al mundo y que parecía tener, entonces, un cierto futuro prometedor: Ciencias Ambientales.

¿Elegí bien? Pues verás, en cuanto al objeto de la elección en sí (los estudios), con la perspectiva que da el paso de los años, creo que no fue una decisión acertada.

Para mis intereses y capacidades de entonces hubiese sido perfecto estudiar Traducción e Interpretación, una alternativa que contemplé vagamente pero que entonces no estaba muy de moda, y como nadie me la recomendó y cuando llamé a la facultad de Traducción a preguntar me dijeron que se había pasado el plazo para hacer los exámenes iniciales (como si no hubiera podido hacerlos otro año, o en otro momento... en fin, la visión estrecha que he comentado antes), lo dejé pasar. A día de hoy sé que habría podido «brillar» más ahí y que mi vida profesional podría haber sido más interesante. Aun así, tengo la fuerte sospecha de que, igualmente, por una carambola de la vida habría acabado siendo *coach* y escribiendo, que es lo que considero mi verdadera vocación.

Sin embargo, volviendo a la decisión que tomé de estudiar Ciencias Ambientales, me siento bastante en paz con esta elección, aun no siendo la más acertada, porque me han gustado las cosas que ha traído: la ciudad donde estudié (Toledo, ¿hay ciudad en España más fascinante?), los amigos que conocí y que a día de hoy conservo, las experiencias que viví, lo mucho que he aprendido sobre temas apasionantes (disfruté mucho con algunas asignaturas) y la manera en que las ciencias han estructurado mi mente y mi forma de aprender.

He vivido en «mis carnes» que es perfectamente posible saber que una decisión no fue acertada y aun así no sentir pena, angustia o disgusto por haberla tomado. Es más, he aprendido que puede que TODAS las opciones sean buenas y entonces se vuelve inservible esa presión de *escoger la mejor*. Y esta es una de las cosas que quiero compartir contigo en este libro.

La frase anterior no quiere decir que no existan las *decisiones equivocadas*. Yo misma también tengo un puñado de elecciones que, si pudiera volver atrás, no habría tomado porque me han traído sufrimiento e incomodidad (aunque siempre nos queda como premio el que se aprende muchísimo de las malas decisiones y los infortunios).

Una *mala decisión*, incluso aunque nos reconciliemos con su resultado, está claro que no está para ser repetida y en este libro también vamos a hablar de las características, pero te adelantaré algo: puede definirse como una decisión inconsciente o basada en fantasías.

Volviendo al punto en que estábamos al inicio, nuestra vida es el resultado de las elecciones grandes y pequeñas, arriesgadas o convencionales, que hemos ido tomando con el tiempo.

Quiero pedirte que interrumpas la lectura un momento para mirar a tu alrededor. ¿Dónde estás? ¿Qué haces? ¿En qué trabajas? ¿Cómo te sientes? ¿Te gusta la persona en que te has convertido? ¿Te parece que tienes buenos hábitos? ¿Es bello tu entorno?

La hora en que te levantas por la mañana, lo que comes, cómo te vistes, con quién hablas, qué música escuchas, el trabajo que realizas, cómo es tu casa, con quién la compartes, cómo te relacionas con las personas, qué haces en el tiempo libre, qué programa verás en la televisión, qué libro estás leyendo, qué uso haces de WhatsApp, cómo te hablas a ti mismo, cuál es tu rutina antes de ir a dormir… En lo cotidiano, cada día, estás tomando decenas, si no cientos, de pequeñas elecciones que con el tiempo van conformando un estilo de vida. Si tu rutina diaria te gusta, si más o menos te sientes satisfecho con tu vida actual, es porque esas elecciones son acertadas y saludables. Por el contrario, si no te gusta tu realidad, si levantarte cada mañana es un suplicio o quisieras cambiar de un plumazo todo lo que te rodea y empezar de cero, te invito a revisar, por lo menos, algunos de estos pequeños hábitos porque el poder que tienen sobre tu vida es enorme y se va incrementando con los días.

O puede que te encuentres en un punto intermedio: hay aspectos de tu estilo de vida que te encantan pero otros que son fuente de malestar y disgusto.

Además de estas a las que podemos llamar *elecciones cotidianas*, que son aquellas que tomamos repetidamente, muchas veces de forma automática y modelan nuestra vida mucho más de lo que pensamos, están las grandes disyuntivas que son de las que me voy a ocupar en este libro.

Como veíamos antes, qué hacer cuando acabamos los estudios obligatorios.

Otra gran, grandísima elección es si tener o no hijos o cuándo.

O qué hacer si a nuestro amor le proponen un buen trabajo en el extranjero: marcharnos con él dejándolo todo o seguir con nuestra vida y poner fin a la relación.

O a quién elegir, si a la persona con la que llevo media vida o a esta nueva atracción que ha irrumpido en mi vida con la fuerza de un volcán.

O si traer a mis padres a vivir a casa o llevarlos a una residencia.

O si abandonar mi trabajo y dar un cambio de rumbo profesional hacia algo que me apasiona mucho y es incierto, o seguir la vía más estable y sensata.

En definitiva, en muchos momentos de la vida nos vamos a ver en un verdadero cruce de caminos en los que habrá un antes y un después. Y si alguien me dijera que nunca o que pocas veces se ha visto en este punto, entonces, tal vez, es que lleva una vida demasiado predecible y (perdón) aburrida, en cuyo caso este libro tendrá poco sentido o será una mera lectura para pasar el rato.

Pero para el resto de los mortales, hay momentos en la vida en que tenemos que tomar una decisión difícil.

Y no es posible escondernos o postergarla indefinidamente (o, al menos, no es recomendable). Es más, incluso cuando rehusamos tomar alguno de los caminos que aparecen en esa encrucijada, estamos decidiendo no hacer nada y seguir igual, y eso tendrá consecuencias importantes.

O sea, es imposible no decidir. Ni en los pequeños hábitos cotidianos ni en los momentos de grandes dilemas de la vida.

Por eso es tan importante pararnos a pensar de qué modo tomamos nuestras elecciones y lidiar con todos

Es imposible no decidir, ni respecto a los pequeños hábitos cotidianos ni en los grandes dilemas de la vida. Por eso es tan importante pararnos a pensar de qué modo tomamos nuestras elecciones.

esos sentimientos de miedo, culpa, tensión, parálisis y desesperanza que a veces nos surgen.

Es más, también podemos empezar a pensar que quizá se pueden afrontar las encrucijadas de la vida desde una actitud de sana curiosidad, determinación y alegría.

En breve vamos a ver cuál es la causa principal que nos provoca tanta aversión, miedo y presión a la hora de tomar decisiones, pero antes quiero hablarte de algo: de una manera de vivir en la que perpetuamente esquivamos tomar una elección y que yo he llamado *vivir en el limbo*.

Hay una idea importante que quiero compartir contigo, a ver qué te parece.

CAPÍTULO 2

Vivir en el limbo:
cuando decidimos no decidir

Ya hemos visto que, teóricamente, no es posible no decidir. Si no quieres cambiar una situación que no te gusta o te quedas paralizado, ahogado por la indecisión en ese vestíbulo con varias puertas cerradas al que nos referimos al inicio, estás decidiendo quedarte como estás. Sin embargo, no es satisfactorio ese estado de indecisión permanente, al que voy a referirme como *limbo*, y nos hace más daño de lo que podría parecer. Es más, yo creo que incluso es peor ese sentimiento de estancamiento y parálisis que lo que se puede derivar de tomar una mala decisión.

Por decirlo de una manera diferente, es mejor lidiar con los contratiempos e incluso con el sufrimiento de haber elegido algo, que pasarnos la vida paralizados por visiones funestas del futuro si tomamos acción.

En relación al *estado de limbo* quiero dejar claro que no es lo mismo decidir conscientemente que no quieres cambiar, es decir, haber meditado las opciones que tienes para concluir que quieres quedarte como estás, que escaquearte de esa decisión intentando a toda costa o no pensar en ello o pensar obsesivamente, pero luego no hacer nada tangible.

Vamos a ver mejor en qué consiste esta situación con un ejemplo claro: el de Patricia, que no sabe si continuar o dejarlo con su pareja con la que lleva tres años y cuya relación no marcha como le gustaría.

Sin entrar en los motivos que existen para que Patricia se plantee esto, básicamente ante ella aparecen dos puertas: abandonar la relación o continuarla.

Por supuesto habría más opciones, como tener una conversación seria sobre lo que necesitan ambos miembros, ir a terapia de pareja, restablecer los marcos sobre los que se asienta la relación, proponerse los dos ser más románticos y detallistas en la relación, etc., pero estas opciones finalmente desembocarían en las que hemos dicho arriba: romper o seguir.

Si Patricia aboga por la ruptura, efectivamente ha tomado una decisión que tendrá consecuencias para el resto de su vida, sobre todo si ha habido un vínculo muy fuerte en el pasado o si hay hijos, mascotas o posesiones importantes por medio. Tendrá que asumir esta incomodidad que le durará un tiempo, el dolor, la tristeza, la sensación de fracaso, la nostalgia… en fin, un montón de cosas que cualquier persona que haya pasado por una ruptura amorosa ya conoce.

Sin embargo, imaginemos que Patricia, para no querer afrontar estas consecuencias, elige quedarse como está y seguir en la relación… pero sin quererlo realmente y continuamente planteándose que lo mejor sería romper y rehacer su vida.

Esto es lo que yo defino como *limbo*, cuando una persona por falta de valor, por miedo a la soledad, por pena o por no saber qué pasos dar decide permanecer en la situación en que se encuentra... pero sin *compromiso*. Esta es, en mi opinión, una palabra clave cuando uno toma decisiones conscientes de las que no se arrepiente nunca: el *compromiso*.

Comprometerse con una decisión no significa estar seguro de que eso es lo que uno quiere o que será *lo mejor* ¡pero si poquísimas veces en la vida sabemos qué nos depararán nuestras acciones!

Comprometerse con algo significa que, por lo menos durante un tiempo, vamos a olvidarnos del resto de opciones que existen y a poner toda nuestra atención y mejor intención en esa alternativa que hemos elegido.

Comprometerse es, en definitiva, estar presentes, es lo contrario de evadirnos, bien al mundo del pensamiento (donde analizamos obsesivamente) o al de las ilusiones y fantasías.

¿Cuántas veces transitamos nuestra vida como en una especie de estado de ensoñación, donde fantaseamos con un futuro maravilloso al que no sabemos cómo llegar o un pasado que es mejor solo en nuestra imaginación?

¿Cuántas veces vivimos como en un estado de *espera permanente*?: esperando un momento mejor, una oportunidad mejor, que alguien venga a nuestra vida y la llene de color, que ocurra un milagro o un golpe de suerte, que nos llamen de un maravilloso trabajo, que por fin nos atrevamos a ser nosotros mismos.

Tanto en ese estado de ensoñación, como en el de la espera pasiva, como en el del análisis reiterativo estamos despegados de la realidad, viviendo fuera del aquí y ahora.

Y yo creo que una vida que merezca la pena ser vivida es, ante todo, una vida en la que estamos presentes. En la que nuestro cuerpo, nuestra mente y nuestra alma están comprometidos con la realidad que nos rodea. Y si tenemos momentos de ensoñación o de espera, estos serán meramente de inspiración para tomar acción posteriormente, no una forma de escaquearnos de una realidad que no nos gusta.

Volvamos al caso de la pareja que veíamos antes. Una cosa es que Patricia, después de haberle dado algunas vueltas y haber tenido conversaciones importantes, decida comprometerse con su relación y seguir juntos (y durante unos meses, al menos, se olvidará completamente de que está la posibilidad de la ruptura). Y otra sería que Patricia no se decida a romper porque no sabe cómo o porque no se atreve, pero tiene siempre en mente esa posibilidad y, ante cualquier mínima pelea, acaba diciendo que la relación es un desastre y que tendrían que cortar.

Quiero que te plantees por un momento lo desgastante que es vivir en ese *estado de limbo* en el que una decisión siempre parece estar a las puertas pero nunca se materializa.

Aparte, si esto involucra a otra persona como en este ejemplo que estamos viendo, el *estado de limbo* es muy poco respetuoso.

Una vida que merezca la pena ser vivida es, ante todo, una vida en la que estamos presentes, en la que nuestro cuerpo, nuestra mente y nuestra alma están comprometidos con la realidad que nos rodea.

A mí no me gustaría que mi pareja me estuviera continuamente amenazando con romper. Al final, la que rompería sería yo por puro cansancio o para terminar con la tensión, porque es mejor cortarse de una vez con un cuchillo que vivir con la amenaza permanente de que ese cuchillo te va a cortar cualquier día de estos.

Si una pareja después de hablarlo, de haber hecho terapia, de haberse desahogado juntos o de haber venido de un viaje maravilloso ha decidido que van a seguir juntos, que eliminen entonces de su cabeza esa opción de finalizar la relación al menos durante seis meses o hasta que ocurra un evento lo suficientemente importante.

Creo que este puede ser un buen consejo para ti si llevas meses atascado en el limbo de la inacción: toma una decisión, la que sea, y márcate el compromiso firme de que no vas a volver a plantearla hasta dentro de un tiempo. Puede ser un mes, seis meses o un año, pero de verdad, date el permiso de liberarte de la agonía de tener una elección constantemente pendiendo sobre tu cabeza.

Cuando te *comprometes* con una decisión eliminas mentalmente de un plumazo el resto de opciones y solo te enfocas en la que tienes por delante. Esto es vivir en el presente y te sorprenderá el alivio enorme que te proporcionará.

Y si tu mente quiere dirigirte a escenarios futuros, a ensoñaciones sin fundamento o a cambiar de idea una y otra vez («ay, hice mal, debería haber escogido otra cosa») pues con cariño pero también con firmeza, encamínala a pensar en maneras de fortalecer la decisión que has elegido.

Yo suelo decir que la mente no se puede parar; ni siquiera en un estado de meditación profunda podemos alcanzar el silencio absoluto, pero lo que podemos hacer cuando nos asalten pensamientos que no están en sintonía con lo que nos hemos propuesto, es redirigir este torrente mental por un cauce que nos sea realmente útil.

Utilicemos el poder de la imaginación para pensar en cuál sería el mejor futuro posible para esa opción que hemos elegido y qué podríamos hacer para ello. O pongamos la conciencia en el cuerpo, ese gran olvidado que es quien realmente vive en el presente. O sencillamente salgamos a pasear o a hacer compras importantes en lugar de quedarnos mirando al techo rumiando de nuevo, por milésima vez, la decisión que hemos tomado.

Otro asunto concreto sobre el que es frecuente encontrarse en el *limbo* es respecto al trabajo.

Mucha gente está a disgusto en su trabajo y quisiera cambiar; algunos, de hecho, tienen una posibilidad real de trabajar en otra empresa o una idea en mente que tiene muchas probabilidades de ser rentable. Sin embargo, estas personas no acaban de decidirse y pasan los años y esta *no decisión consciente* de no hacer nada y no moverse les va matando su alegría y vitalidad.

De nuevo, nos encontramos básicamente ante dos opciones: o sigo con mi trabajo o lo dejo y me lanzo a lo desconocido.

Ya iremos hablando de lo que tienes que preguntarte en el caso de que quieras tomar una opción arriesgada y qué tienes que tener claro para no arrepentirte, pero ahora quiero centrarme en la opción conservadora: seguir con el trabajo.

La manera de que esta sea una buena decisión que te deje tranquilo es, como hemos visto antes, *comprometerte* realmente con esa opción.

Es decir, olvidarte por un tiempo de tus sueños y tus deseos de cambiar y hacer de ir a trabajar una experiencia lo más placentera posible. O, si esto no es factible, al menos reconfortarte con el hecho de que ese trabajo te permite tener un dinero que te da el estilo de vida que quieres: puedes vivir en una casa que te gusta, mantener a tu familia, darte algún capricho de vez en cuando o sentirte satisfecho de que eres autosuficiente y no dependes de la caridad de otra persona.

Comprometerte con la opción de seguir en un trabajo que no te apasiona es estar presente en lo que haces, tener bien claras las consecuencias positivas que eso trae a tu vida, exprimir tu vida por fuera del trabajo, pero sobre todo decir «NO» a esa cháchara sin fin de «debería estar haciendo otra cosa», que ni te lleva a moverte ni te hace disfrutar de lo que tienes.

En definitiva, *comprometerte* con una alternativa que no te gusta pero que en este momento es adecuada para ti, es una actitud madura. La actitud infantil sería, como ya hemos visto, la evaluación sin fin ni propósito, el escapar de la realidad, el seguir esperando que las co-

Cuando te comprometes con una decisión, eliminas mentalmente de un plumazo el resto de opciones y solo te enfocas en la que tienes por delante.

sas cambien por «arte de magia» o que un día te levantes con una conclusión clara y brillante de lo que es mejor para ti (no, lo que es mejor para uno suele materializarse tras un camino tortuoso y difuso).

Por supuesto, que hoy te comprometas con una decisión no significa que la mantengas para siempre. Una vez que finalice ese plazo que te has dado a ti mismo (por ejemplo, durante tres meses decides que vas a estar presente en tu trabajo e intentar disfrutarlo) puedes reevaluar tu situación y, si lo ves necesario, elegir otra cosa diferente.

Sin embargo, no te imaginas la paz mental que te va a dar el salir de ese *limbo* del que estamos hablando.

Cuando *eliges conscientemente* no cambiar de trabajo, continuar en una relación, no cambiar de ciudad, seguir en unos estudios que no te acaban de convencer pero tampoco te disgustan, cuando te comprometes con estas alternativas buscando sacar algo bueno de ellas y eliges desoír durante un tiempo las voces que te piden volver a considerar la decisión, entonces estás viviendo de verdad. Estás presente en cuerpo y alma en tu vida. Te sientes calmado, fuerte y arraigado a tu realidad.

Y es que en la vida, y aquí nos vamos a elevar un poquito por encima de las preocupaciones mundanas, lo importante realmente no es *acertar* con las decisiones o que todo lo que nos rodea sea feliz y estimulante todo el tiempo. En la vida, lo importante es sacar el máximo partido de nuestras experiencias y llegar a dotarnos de una sabiduría interna que a veces nos invitará a cambiar y lanzarnos a grandes aventuras y otras veces a esforzarnos a amar lo que ya tenemos.

Amar lo que ya tenemos... qué hermosa alternativa.

En resumen, cuando decides no cambiar pero te comprometes de verdad con la opción que estás viviendo, estás fuera del *limbo* y viviendo con plenitud y no con miedo.

Y por cierto, ¿qué pasó con Patricia?, te estarás preguntando.

Bien, como ella comprendió que ese camino de replantearse su relación prácticamente cada día y amenazar con romper no la llevaba a ningún sitio, decidió apostar por su pareja, con sus luces y sus sombras, y al cabo de unos meses se compraron una casa, emprendieron un negocio juntos y ella quedó embarazada. Cuando uno vive en el presente, en vez de en la mente y en las hipótesis, pasan un montón de cosas.

Vendrán otros retos que esta pareja tendrá que sortear y la decisión de separarse puede ser una opción en otro momento. Pero no es un tema que está siempre en sus cabezas ni que aprovechan para esgrimir y hacerse daño en cada pelea.

Sí, amar lo que uno tiene, cuidarlo y hacerlo crecer puede ser muy buena opción.

CAPÍTULO 3

¿Por qué es tan difícil elegir?, ¿qué nos detiene? Nuestro mayor miedo a la hora de tomar decisiones

Estábamos hablando del *limbo*. Ese estado en el que puede uno pasarse días enteros, o lamentablemente, también años. Un estado en el que existe un terror a decidir y abrir una de las puertas, cualquiera de ellas.

Hay un concepto equivocado que nos obsesiona con respecto a las decisiones y es el siguiente: creer que existe una opción CORRECTA y que tenemos que afanarnos en descubrir cuál es.

Esta es la idea que ha paralizado más proyectos, que ha tenido a más personas sufriendo en el infierno de la indecisión y la culpa, que atemoriza a los jóvenes a la hora de decidir sus estudios («¿y si no hago lo correcto?») y, sobre todo, la que nos quita el sueño por las noches.

Porque si hay algo que pensamos que es necesario hacer a la hora de decidir es darle muchas «vueltas al asunto» (mentalmente hablando) para distinguir la *opción correcta* de las *opciones incorrectas*.

En este punto, quiero decirte algo que quizá consideres revolucionario y es lo siguiente: no solo pienso que, en la mayoría de los casos, no hay opciones correctas ni incorrectas (salvo en el caso de que tenga-

33

mos alternativas muy desbalanceadas, en donde no tendríamos ningún problema en decidir, por ejemplo entre dos trabajos si uno de ellos nos gusta más, tiene mejor horario y mejor sueldo) sino que creo que es difícil cuantificar qué elección es MEJOR que otra.

Si cambiáramos radicalmente el paradigma y únicamente nos centráramos en tomar una decisión consciente, anticipando y asumiendo consecuencias, nuestra vida se simplificaría y dejaríamos de pasar «noches en vela», mirando cada opción al derecho y al revés, intentando desesperadamente no fallar.

Porque este es el mayor miedo que tenemos a la hora de elegir un camino de vida: el *miedo a fallar*.

Nos han educado de tal manera que nos horroriza la posibilidad de elegir un camino incorrecto. «Qué bochorno», pensamos, qué tremenda humillación si nos damos cuenta, a mitad de camino, que erramos en nuestra decisión, ¡y mira que los demás nos advirtieron! Ahora tendremos que soportar sus burlas o esas miradas de condescendencia que esconde el «te lo dije…»

Después de la humillación para mucha personas, lamentablemente, llega la etapa del autocastigo. Se machacan a sí mismas por haberse equivocado y por no haber sabido predecir el futuro. Vuelven una y otra vez, obsesivamente, a recrear el momento en que tomaron esa decisión inadecuada como si rememorar el pasado pudiera variar siquiera una pizca el presente.

Por lo tanto, la indecisión aparece como un mecanismo de seguridad de nuestra propia mente, como una

No hay alternativas correctas e incorrectas, hay decisiones conscientes e inconscientes. Las primeras siempre son buenas y de las decisiones inconscientes nos acabamos arrepintiendo.

manera de enfrentarnos al miedo a fallar y a lo que es aún peor: nuestro propio autocastigo por elegir la opción incorrecta.

Este paradigma de que *podemos fallar en nuestras decisiones* se sostiene bajo la premisa de que, en un cruce de caminos, hay invariablemente uno que es el correcto o el mejor y ese es el que tenemos que seguir a toda costa.

Cualquier proceso de toma de decisiones, por tanto, debería estar enfocado a descubrir cuál es ese camino idóneo y descartar todos los demás.

Podemos expresar este paradigma con una imagen que lo ejemplifica de manera impecable, la de un laberinto, tal y como lo concebimos la mayoría de nosotros, y que en inglés se denomina *maze*.

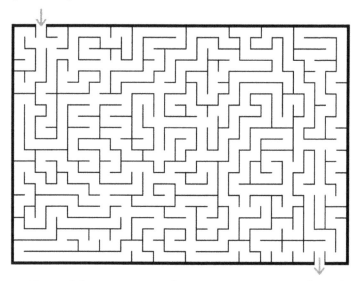

En un laberinto como el que aparece aquí arriba solo hay un camino correcto. Pero encontrar ese camino no

La indecisión aparece como una manera de evitar enfrentarnos al miedo a fallar y a nuestro propio autocastigo por elegir la opción incorrecta.

es nada fácil pues en cada cruce (y en un laberinto puede haber cientos de cruces) tienes la posibilidad de acertar o equivocarte.

Si eliges bien, lo que implica que te acercas a la meta y no te encuentras con paredes que te corten el paso, tendrás un momento de respiro pero que solo durará hasta que te encuentres, dos segundos después, ante la siguiente decisión.

Y si eliges mal y tiras por el camino incorrecto te encontrarás tarde o temprano en un callejón sin salida. En este punto tendrás que desandar el camino. Con suerte, volverás al punto original donde te equivocaste y elegirás (ahora sí) la alternativa correcta, pero también tienes muchas posibilidades de ni siquiera llegar a este punto y quedarte perdido y dando vueltas por el centro del laberinto.

Por otro lado, incluso aunque estés acertando en tus decisiones porque te estás librando de encontrarte con caminos cortados, resulta que hasta que no llegues al final, a la salida, no tendrás la garantía completa de que has triunfado, pues todos sabemos que hay laberintos tan engañosos que se complican justo al final, cuando ya parecía que habías resuelto el juego. Te quedas atónito en esta situación y sin saber qué hacer porque te das cuenta de que, si quieres salir, deberías volver casi al inicio y mejor hubiera sido haberse equivocado antes.

Recorrer un laberinto es divertido si solo se trata de un juego, pero se vuelve una experiencia muy estresante si lo consideramos una metáfora de nuestra vida.

Y justamente, el hecho de que tomar decisiones nos parezca un hecho agobiante y aterrador es porque equiparamos la vida a un laberinto.

Pensamos que, en cada elección, hay una única alternativa buena y las demás conducen a callejones sin salida y caminos equivocados. Pensamos que, si no lo hacemos todo bien a la primera y nos demoramos en llegar hacia la meta estamos fracasando en la vida. Imagínate, entonces, qué terrible resulta la posibilidad de que podemos quedarnos perdidos para siempre en ese cruce de caminos endiablados... En los laberintos difíciles, esto es posible.

Por tanto, cuando vemos nuestra vida como un laberinto, nuestra máxima aspiración es la de elegir el camino correcto a la primera y en el menor tiempo posible. Cada fallo es un golpe contra el corazón. Cada persona que va por delante un recordatorio de lo que nos gustaría ser y no somos: rápidos, perspicaces, perfectos, eficaces.

A propósito de esto, recuerdo una escena cuando yo tenía veintitrés años y había acabado mis estudios en Ciencias Ambientales que me resultó perturbadora en ese momento. Estaba sentada en el despacho de una experta en Recursos Humanos que entrevistaba a los alumnos que querían entrar en un máster. Entiendo que esta entrevista era un poco «paripé» pues el máster era bastante caro y dudo que realmente rechazaran a estudiantes porque no se adecuaran a sus altos criterios, pero el caso es que había una entrevista presencial obligatoria a la que estábamos invitados todos los que teníamos interés en esa formación (yo no vi claro que este fuera mi camino, así que nunca me matriculé, gracias a Dios).

En un momento dado de la entrevista, la experta en Recursos Humanos dijo una cosa que, como digo, me turbó. Me habló con muchísima admiración de otro estudiante que acababa de entrar en el máster, que tenía solo veintiún años, el más joven de todos. Resulta que coincidía que este chico cumplía los años en diciembre (en ese momento estábamos en septiembre) y había acabado su licenciatura en cuatro años (en España, por entonces, había carreras universitarias en las que se podía obtener su titulación en cuatro o cinco años).

Esta mujer hablaba de este estudiante con un brillo en sus ojos y lo definía como una joven promesa: «Imagínate, este chico con solo veintidós años va a tener su carrera y un máster, se lo van a rifar en las empresas...»

A mí esto me llenó de estupor, pero también me deprimió. Pensé, por un lado, que qué suerte cumplir los años en diciembre y así ir «adelantado» con respecto a los demás. Y por otro lado, que qué brillantez la de elegir una carrera de cuatro años, acabarla en el tiempo indicado, ni un mes después, y tener ya clarísimo que quería entrar en este máster.

Este es el ejemplo típico de lo que consideramos exitoso en nuestra cultura: alguien que va rápido, por delante de los demás, que no pierde el tiempo ni ha perdido ni un solo año de su vida en un supuesto callejón sin salida (por ejemplo, haber repetido un curso o haber empezado una carrera universitaria y, al ver que no le gustaba, haberse cambiado a otra; lo de tomarse un año sabático ni lo contemplamos, claro…)

A mí, en aquel momento, me deprimió un poco la descripción del caso de este chico: por los «éxitos» de alguien que era más joven que yo y también por el fulgor que parecía irradiar su vida a los ojos de esta experta.

Hoy, muchos años después, me río de la escena y de la tremenda (e incluso me atrevería a clasificar de estúpida) ingenuidad de la psicóloga de Recursos Humanos. ¿Realmente es una garantía de éxito en el trabajo ser un par de años más joven que los demás aspirantes? ¡Pero si hay miles, millones de chicos brillantes, jóvenes, titulados en los temas más complejos, sin una mancha en su trayectoria, que hoy por hoy no encuentran trabajo!

Y viceversa: conozco unos cuantos casos de personas que abandonaron sus estudios a la mitad, o que acabaron muy tarde, o que probaron varias cosas antes de encontrar su vocación definitiva, y hoy tienen buenos trabajos por cuenta ajena o negocios exitosos.

Con lo cual *no equivocarse*, según los estándares de la sociedad, no es una garantía de éxito profesional; pero es más, tampoco lo es a nivel personal.

No es más feliz la persona que se ha casado con su primera y única pareja, a la que conoce desde los quince años, que la persona que ha tenido tres matrimonios y disfruta de un cuarto elegido con plena conciencia (y vivencias entrañables de sus parejas anteriores).

No es más feliz la persona que no ha suspendido ni una asignatura en su vida, que ha realizado unos estudios difíciles para probar ante sí misma y ante los demás su valía, que ha conseguido un trabajo muy bien pagado y después de una carrera meteórica de diez años descubre que, en realidad, ni le apasiona su trabajo, ni su entorno, ni su vida, que otra que suspendió varias asignaturas, repitió curso, eligió un módulo que le gustaba, empezó a trabajar pronto y hoy sigue entusiasmada con su profesión y aprendiendo.

No es más feliz quien ha vivido refugiado en opciones cómodas y bien consideradas pero que, a sus setenta años, cuando mengua la fuerza vital y la estabilidad se convierte en rutina, se arrepiente de no haber tomado acciones más arriesgadas en el pasado.

El caso es que, a diferencia de en un laberinto dibujado sobre el papel, en la vida no es fácil definir de manera objetiva lo que son *elecciones acertadas* y *elecciones equivocadas*. Como poco, tendríamos que adaptarlas al caso de cada persona. Y habría que ver si esas *elecciones equivocadas* (en caso de que existan) no acaban trayendo cosas positivas que hacen que merecieran la pena, después de todo.

Por otro lado (y ahora lee con atención, que esto es importante) al final de un laberinto se encuentra la salida, que podemos equiparar con el triunfo, con el descanso mental, con la paz de saber que no tendremos que enfrentarnos con ninguna decisión más y que lo hemos hecho bien. Sin embargo, al otro lado de la vida está... la muerte.

O sea, lo que hay al final de tantas decisiones, tantos desvelos, tanto miedo a fallar, en el punto y final de nuestra vida, es la paz de la muerte y no otra paz.

Creo que a veces, en nuestra inconsciencia y en nuestro hechizo sobre lo que es en realidad la vida, nos olvidamos de que todos vamos a morir y que no nos van a dar ningún premio al final.

Nadie nos va a dar un reconocimiento por haber conseguido un trabajo antes que la media de nuestros compañeros (¡a los veintidós en vez de a los veinticuatro!) ni por haber ahorrado cien mil euros, ni por no haber sido despedidos de ningún trabajo, no haber suspendido ninguna asignatura o no haber estado nunca en boca de los demás.

Hacer un recorrido impecable, sin mácula, tiene el mismo destino que vagabundear por caminos errados: la muerte.

Por lo tanto, cuando vivimos nuestra vida bajo el paradigma del laberinto (*maze*) cualquier elección provoca parálisis y miedo porque olvidamos una verdad fundamental: que al final del camino está la muerte y entonces más nos valdría disfrutar del trayecto.

A veces nos ponemos pretensiones absurdas como no equivocarnos buscando ciegamente el amor, la admiración, la aprobación que no recibimos genuinamente siendo niños, pues si los hubiéramos recibido, no los buscaríamos con tanto ahínco en el mundo exterior, sencillamente habitarían dentro nuestro.

En cierta manera, pretendemos que nuestros éxitos levanten admiración a nuestro paso. El «niño bueno» o «la niña buena» que viven dentro de nosotros buscan responder a las demandas de los demás y esperan un premio por su buen comportamiento.

Mas no hay premios… No hay premios, querido lector, para el que nunca se equivoca y siempre busca complacer, ni tampoco castigos para el que fracasó o decepcionó a los demás.

En todo caso, el único premio o castigo al final de la vida sería la conciencia de que uno ha vivido de manera coherente, fructífera y emocionante. Ante esta perspectiva las palabras *acertar* o *fallar* se desdibujan y pierden su enorme poder.

Y entonces, si el laberinto tal y como lo conocemos, lleno de encrucijadas y caminos cortados, es pobre como metáfora del proceso de toma de decisiones y de la vida misma, ¿existe otra alternativa? ¿Hay otro dibujo geométrico que nos sirva para abordar estos temas?

Resulta que sí y te lo muestro a continuación.

Otro paradigma para explicar la existencia

Quiero hablarte de un descubrimiento que hice hace algunos años que me dio una paz indescriptible y cambió radicalmente mi visión sobre las decisiones: en la antigüedad un laberinto era otra cosa. O sea, no era este juego endiablado de caminos que había que resolver.

En inglés hay dos palabras para denominar un laberinto: está el *maze* que es el que acabamos de ver y representa un puzzle o juego que tiene una única solución y está el *labyrinth* que representa otra cosa muy diferente... El laberinto de los antiguos que acabo de mencionar.

Antes de contarte en palabras mis impresiones, quiero simplemente que des la vuelta a la hoja y mires la imagen.

Tan solo mírala, respira e intenta expresar qué te transmite.

Me es difícil describir con palabras la emoción que sentí al ver un laberinto de estas características por primera vez. De una forma no verbal, atravesé el umbral de una de esas puertas de las que te hablaba al inicio: la que separa la ignorancia de un saber que te cambia la vida.

Si te fijas, un *labyrinth* (utilizaré el término inglés para distinguirlo de lo que en español solemos entender por laberinto, que corresponde a *maze*) también es sinuoso y comprende un camino más largo y complicado de lo que parecería a simple vista. De hecho, prueba a recorrerlo con el dedo y verás cómo tardas bastante en llegar al centro. Sin embargo, hay una diferencia esencial con el *maze* y es que no hay cruces y, por tanto, no hay posibilidad de perderse o equivocarse de rumbo.

Fíjate qué idea tan evocadora: no hay posibilidad de perderse ni de equivocarse...

A diferencia de un *maze*, que requiere velocidad, suerte, pericia y memoria para saber en qué cruce nos equivocamos para tomar la opción restante, el reco-

rrido del *labyrinth* nos pide cualidades muy diferentes: presencia, resistencia, paciencia e interioridad.

En el *labyrinth* de lo que se trata, una vez que atraviesas la puerta de entrada, es de caminar. Caminas siguiendo ese trazado que va dando vueltas, a veces muy cerca del centro y otras junto a la periferia. Perseveras aunque estés cansado o aunque no sepas muy bien cuánto falta para la meta. Sigues moviéndote con la confianza de que te encuentras en la senda correcta y que siempre estás avanzando, no sabes muy bien hacia a dónde hasta que no llegas por lo menos al centro, pero sí sabes que no hay posibilidad de errar. En un *labyrinth* si caminas hacia delante, lo estás haciendo bien.

Una vez eliminado ese objetivo de resolver un problema en el menor tiempo posible, en el *labyrinth* disfrutar de la experiencia adquiere todo el sentido. A veces este disfrute es más interior, como cuando recorres el camino de fuera hacia dentro. Y a veces este disfrute implica extroversión y compartir con los demás, en el momento que haces el camino inverso, del centro a fuera.

Y mira qué cosa tan bonita y curiosa: resulta que «el final» es el mismo punto de entrada. De hecho no hay casillas diferenciadas de salida o llegada en un *labyrinth*, en todo caso hay un punto exterior y un punto central y un camino serpenteante, nada aburrido, que va de uno a otro y que puedes recorrer las veces que quieras.

No sé cuál es tu opinión, pero para mí el *labyrinth* es una representación mucho más fiel de lo que es la vida: un camino sinuoso, sorprendente, cuya longitud desconocemos, sin puntos específicos de salida y llegada y que nos pide estar presentes con nuestros cinco sentidos.

Si tuviéramos que definir qué es el *éxito* a la hora de recorrer un *labyrinth* no nos guiaríamos por criterios de rapidez ni de tomar caminos correctos. El *éxito* sería aprovechar la experiencia, aprender, resistir, pararnos cuando estemos extenuados y sacar fuerzas de donde no las hay para proseguir.

Si nos imagináramos a una multitud de personas recorriendo el mismo camino, a diferencia del *maze* donde unos van por delante de otros, y tenemos a una multitud perdedora que nunca encuentra la salida (mientras los exitosos se aburren porque ya la han encontrado y hay poco que hacer), en el *labyrinth* no hay ninguna competencia: unos y otros se van sucediendo y cruzando y tienen todo el tiempo del mundo para amar, conversar y compartir cómo han sido sus caminos.

El *labyrinth* también expresa bellamente esa alternancia entre un mundo interior que priorizamos cuando vamos de afuera hacia dentro, lleno de emociones y pensamientos, en contacto con las verdades sutiles de la vida, y el mundo exterior repleto de estímulos, entusiasmo y otras personas a las que nos conviene esquivar o entregar el corazón, cuando transitamos del centro hacia fuera.

En el *maze*, por contra, estamos tan agobiados por la idea de fallar y por encontrar pronto la salida, que perdemos la conexión con nuestro mundo emocional y con la trascendencia de esta experiencia que supone vivir.

En definitiva: el *labyrinth* nos trae paz; el *maze*, tensión permanente.

«¿Y qué tiene esto que ver con las decisiones?», tal vez te estés preguntando.

Pues para mí tiene TODO que ver. Porque si quieres eliminar la ansiedad a la hora de enfrentarte a una decisión y en su lugar elegir un camino con determinación y entusiasmo, debes cambiar tu enfoque sobre lo que supone decidir.

Y para cambiar tu enfoque sobre las decisiones tienes que ir a la raíz y replantearte tu visión sobre la vida misma...

*Un labyrinth no nos pide
suerte o velocidad sino
presencia, resistencia,
paciencia e interioridad.
En un labyrinth si
caminas hacia adelante,
lo estás haciendo bien.*

¿Qué es vivir? ¿Para qué lo hacemos? ¿Qué estoy esperando, en el fondo, cuando busco desesperadamente no equivocarme? ¿Qué es lo importante al final?

¿Ves la vida como un *maze* del que salir victorioso o como un *labyrinth* que transitar?

Y en esta indagación sobre cuál es el sentido de la vida tendrás que despertar de algunos hechizos que no son verdad. Por ejemplo, esa recomendación que dice que no debes fallar, que es algo feo, impropio, inmoral o que te hace una persona débil y poco inteligente.

Te reto a que me digas una sola persona de este mundo que haya recibido un premio por su trayectoria vital intachable y sin errores…

De la misma manera, te reto a desentrañar qué han hecho con su vida esas personas que mueren en paz y satisfechas con su recorrido. Para ello, puedes acudir a biografías de personas que han llevado vidas excepcionales o a investigaciones sobre de qué se arrepienten frecuentemente las personas antes de morir, y en este caso puedes revisar toda la obra de Elisabeth Kübler Ross quien pasó años conversando con personas moribundas. Por supuesto, tienes otro testimonio innegable en las personas mayores que te rodean: pregúntales, a las que han llevado una vida plena, qué les ha ayudado a llegar a eso. Apuesto a que la obsesión por hacerlo todo perfecto no tiene mucho que ver con su grado de satisfacción final y sí un compromiso diario con sus acciones y sus verdaderos deseos, cualesquiera que hayan sido.

Te invito, también, a que mires tu vida en retrospectiva y observes si han tenido alguna utilidad esos sentimientos de tensión y ansiedad a la hora de tomar una decisión importante. ¿Te ayudaron a comprometerte con la alternativa escogida con alegría, o más bien fueron como una nube negra que te llevaba a centrarte más en lo que dejabas atrás que en lo que estabas viviendo?

¿Te ha servido de algo cargar con el miedo a fallar o te gustaría, en su lugar, elegir una opción y asumir las consecuencias, decidiendo aprender de las que sean negativas en vez de fustigarte?

En definitiva, lo que te estoy proponiendo en estos momentos va mucho más allá de plantearte cómo decidir bien. Te estoy sugiriendo que definas una idea de *éxito*, en general. *Que definas no QUÉ vas a hacer sino CÓMO quieres vivir los años que te quedan de vida: si con las mismas preconcepciones que te limitan o con otras visiones que te expandan.*

Y estas visiones verdaderas, a diferencia de las mentiras, resplandecen y tienen un sabor a paz y a libertad.

Para mí, el *labyrinth* como una metáfora de la vida es una de ellas.

Y ahora sí, seguimos avanzando en nuestra exploración sobre cómo tomar buenas decisiones y llegamos al meollo del asunto. Partiendo de este enfoque, vamos a ver qué características tiene que tener una decisión para que sea satisfactoria para ti y la tomes con alegría.

Recarga tu té y sigue leyendo.

CAPÍTULO 4

La clave DEFINITIVA
para tomar buenas decisiones

La clave maestra, en mi opinión, para tomar decisiones con la tranquilidad de que lo estás haciendo bien es la siguiente: hacerlo con conciencia. Y con esto me refiero a que tengas claro las consecuencias tanto positivas como negativas que están derivadas de esa decisión.

Es decir, si sabes qué te va a deparar una decisión y asumes esa realidad —en vez de pelearte con ella—, con sus puntos buenos y sus puntos no tan buenos, estás eligiendo bien.

En un momentito seguiremos profundizando sobre esta idea pero antes quiero que nos planteemos otra cosa y es la siguiente:

¿A qué llamamos una *decisión incorrecta*? Dicho de otro modo: ¿por qué a veces nos arrepentimos de algo que habíamos elegido?

He pensado mucho sobre estas cuestiones y he llegado a la conclusión que lo que llamamos malas decisiones son, en realidad, *decisiones inconscientes*. Decisiones que habíamos tomado de manera impulsiva, bien con excesivo optimismo, o bien con un punto de vista alejado de la realidad, de tal modo que las consecuencias que aparecen en nuestra vida tras esa decisión no se parecen en nada a lo que teníamos en mente. Y ahí empiezan la decepción, la frustración y el arrepentimiento.

Vamos a ver a qué me refiero con un ejemplo.

Imaginemos el caso de Teresa, una persona de mediana edad que trabaja en un banco en un pueblo de Extremadura, a la que le ofrecen un cambio de residencia. La dirección le comenta que ha quedado un puesto vacante de sus mismas características en otra ciudad (pongamos Valencia, un destino que la persona considera atractivo) y que puede aceptarlo o rechazarlo, sin ninguna consecuencia.

¿Sabes lo que sería una *mala decisión*? Que Teresa eligiese movida por el azar, o por miedo, o sin pararse a pensar qué gana y qué pierde en cada caso. Es decir, que tomara la decisión sin conciencia.

Supongamos que Teresa elige quedarse en su lugar de residencia porque en ese momento le abruma pensar en un cambio tan radical, ya que tiene todo su círculo familiar y de amistades en ese lugar, unos hábitos de vida que le hacen sentirse confortable y su casa en propiedad (no le atrae demasiado vivir de alquiler ni siquiera temporalmente). No obstante, puede ser que al cabo del tiempo una vocecita interior le diga:

«¿Y por qué no probaste? ¡Si Valencia es una de tus ciudades favoritas! Además, siempre soñaste con vivir junto al mar y una parte de ti anhela caminar por una ciudad desconocida donde nadie te conoce... Ay Teresa, ¡pero por qué has dicho que no! Habría sido una aventura, una

Lo que llamamos malas decisiones son, en realidad, decisiones inconscientes.

oportunidad para salir de tu zona de confort, y quizá en esa ciudad el destino te tenía reservada a tu alma gemela...»

Teresa entonces empieza a agobiarse y a arrepentirse de haberse quedado en su pueblo. De repente su rutina ha dejado de gustarle y le empieza a parecer sofocante, encuentra fallos a su —antes adorada— casa y está irritable con sus amigos. Digamos que su cuerpo ha elegido el camino que había detrás de la puerta blanca (rechazar ese traslado), pero su alma no deja de vagar por el camino tras la puerta amarilla (haberlo aceptado).

Esto ha dado lugar a que Teresa haya dejado de ver las cosas positivas que tenía y sigue teniendo su vida cotidiana (porque esta no ha cambiado) y esté por entero centrada en lo que ha perdido al no hacer el cambio.

Es lo que comentábamos unas páginas atrás: cuando eliges seguir como estás, en vez de cambiar, tienes que hacerlo con convencimiento y la intención de estar presente en esa vida por la que te has decantado. Si no, es como si nunca cerraras del todo una toma de decisiones, y una parte de ti se quedase atrapada en el *limbo* para siempre, pensando: «¿qué habría sido *si...*?»

Llegará un momento en que nuestra protagonista, si quiere seguir disfrutando de su vida y resguardando su salud mental, deberá poner punto y final en su mente a esa división entre lo que está viviendo y lo que le gustaría vivir, dejarse de arrepentimientos y entender por qué tomó el camino que tomó.

Ahora vamos a considerar una decisión incorrecta (o inconsciente) desde el otro punto de vista: imaginemos que cuando la empresa le comunica que existe la posibilidad de traslado, Teresa dice que sí inmediatamente, movida por la excitación de lo desconocido.

Está un poco asustada, como es lógico, pero es mayor su entusiasmo porque Valencia es una ciudad que siempre le gustó y dibuja en su cabeza una rutina donde a diario pasea un ratito por la playa, visita alguna exposición interesante o toma café en uno de los múltiples establecimientos con encanto que hay en el centro de la ciudad.

Sin embargo, la realidad no cuadra con sus expectativas y, dos meses después, Teresa ve que esta decisión fue totalmente desacertada... Para empezar, se siente muy sola. Descubre que a ella le gusta hacer cosas «con gente» y aunque en las tres primeras semanas fueron divertidos y curiosos todos esos planes en soledad, se acabó cansando al cabo de ese tiempo. Teresa echa muchísimo de menos a sus amigos y, quién lo diría, a sus padres que vivían dos esquinas más abajo de casa.

Para más inri, efectivamente y como suponía, le agobia vivir de alquiler: se le va gran parte de su sueldo y el piso que puede permitirse para vivir sola es pequeño, oscuro y con muebles viejos. Cada vez que vuelve a Extremadura a visitar a los suyos, lo cual no puede hacer más de una vez al mes (con suerte) o en vacaciones porque el viaje es muy largo, llora de emoción al reencontrarse con su casa, sus calles, su gente, y se dice que «en qué maldita hora dijo que sí al traslado...»

¿Qué ha pasado aquí? Pues que la decisión que había tomado Teresa fue, en gran parte, basada en fantasías (o sea, inconsciente) y solo teniendo en cuenta lo que ganaría con ese cambio, pero no lo que perdía. Mientras que en el primer caso, cuando decide no mudarse porque le da miedo y le parece abrumador, Teresa no consideró lo que podría perder al decir que no y por eso también se acaba amargando con el tiempo.

Si te fijas, en este caso no hay una decisión correcta o mejor que otra. No se trata tanto de QUÉ hacer sino de CÓMO hacerlo.

Y este es uno de los mensajes más importantes que tengo para compartir contigo en este libro: cuando eliges una alternativa desde la desconexión de lo que esa decisión implica vas a experimentar resultados indeseados, como arrepentimiento, decepción o nostalgia del pasado.

Ahora bien, podemos darle la vuelta a esta frase y enunciarla al contrario: cuando eliges algo con conciencia, sabiendo qué ganas y qué pierdes, qué dejas atrás y qué cosas buenas vas a encontrar, esa decisión va a ser satisfactoria para ti. Sea la que sea.

Vamos a verlo con el caso que nos ocupa. Imaginemos que, una vez que en su oficina le comunican la posibilidad del traslado a Valencia, Teresa se va a casa emocionada pero también con una actitud reflexiva y prudente.

Empieza a considerar qué es lo que gana y qué es lo que pierde si se queda en su pueblo. Lo que gana es que sigue teniendo cerca un círculo maravilloso de amigos y a su familia. Además, seguiría viviendo en su casa, decorada con mimo y comprada después de mucho esfuerzo, el lugar en que se siente «en su sitio».

Cuando eliges algo con conciencia, sabiendo qué ganas y qué pierdes, qué dejas atrás y qué cosas buenas vas a encontrar, esa decisión va a ser satisfactoria para ti.
Sea la que sea.

Su rutina no es muy excitante, es cierto, pero suficiente para ella: toma café algunas veces entre semana, va a pasear frecuentemente por un camino rural a las afueras del pueblo, hace cursos *online* de temas que le interesan y los fines de semana va a Cáceres y a otras ciudades cercanas para romper un poco la monotonía. De vez en cuando, como mucha gente, hace un viaje un poquito más largo o se apunta a algún retiro en medio de la montaña.

En cuanto a lo que pierde si decide no hacer el cambio, básicamente es la posibilidad de poder vivir algo nuevo. Teresa lleva viviendo en el mismo pueblo desde que nació. Salvo unos meses que estuvo en la capital, Cáceres, para estudiar Administración y Dirección de Empresas, el resto del tiempo ha vivido en el mismo sitio y se siente un poco estancada. Echa de menos calles nuevas, gente nueva, oportunidades imprevisibles e incluso un poco más de emoción en su vida sentimental. Ese traslado a Valencia, que es uno de esos trenes que solo pasan una vez en la vida, sería toda una oportunidad de entrenar sus recursos para manejarse sola, vivir experiencias nuevas y conocerse más a sí misma.

Hasta aquí el análisis de la decisión «quedarme en mi pueblo» y a continuación Teresa se pasa a ver los pros y los contras de la opción contraria.

Si dice que sí a la propuesta del banco y se va a vivir a Valencia, lo que gana es todo esto que no tiene en su vida actual y que ya hemos mencionado: más emoción, vivencias imprevistas, residir en una ciudad que le encanta y la posibilidad de ser más independiente y conocer nuevas personas. En cuanto a los contras, Teresa se da cuenta que ese cambio le implicaría grandes sacrificios: para empezar, el tema de la casa es importante para ella y se ha dado cuenta que el alquiler que podría pagar con su sueldo no va aparejado con un piso de las comodidades que ella disfruta ahora. Por otro lado, es consciente de que está muy apegada a los suyos y que los primeros meses se va a sentir muy sola y fuera de lugar. Sabe, por experiencia, que todo cansa y que la primera semana le puede parecer muy divertido comprar en tiendas *vintage* ella sola, pero que a los tres meses deseará tomar una cervecita con sus amigos de siempre aunque sea en un sitio sin personalidad.

Como ves, Teresa está haciendo un análisis REALISTA de lo que implica cada opción. Por supuesto que en la vida nos suceden cosas inesperadas, pero muchas de las consecuencias de nuestras decisiones las podemos prever. Y es justamente aquí donde podemos quedarnos tranquilos de que hicimos bien nuestra parte del trabajo.

Posiblemente ahora te estés preguntando: «vale, y teniendo esta lista de pros y contras, ¿cuál es, entonces, la mejor decisión para Teresa? ¿La que tiene más puntos positivos y menos puntos negativos? ¿Cómo ponderamos cuáles de los factores tienen más peso?»

Para mí, la respuesta a estas preguntas es la siguiente y quizá te va a sorprender: cualquiera de estas dos opciones es buena para Teresa.

De verdad, cualquiera.

Igual que cuando se toma una decisión inconsciente nos acabamos arrepintiendo en un caso y en otro (tanto si nos quedamos como si nos vamos), cuando elegimos con esa claridad de lo que ganamos y perdemos, cualquier opción es válida y todas conducen a caminos satisfactorios.

La decisión final podemos echarla a suertes o podemos buscar en nuestro corazón si una de las dos opciones nos tira un poquito más (luego más adelante en el libro te daré algunas preguntas para esta fase de decantarte por una opción u otra) pero será buena en cualquier caso.

Dime si este enfoque no te resulta liberador: saber que, haciendo este proceso de análisis con conciencia, el éxito de tu decisión está asegurado.

Al igual que en el *labyrinth*, donde lo que importa no es la dirección escogida (ya que solo hay una, ir hacia adelante) sino la actitud, si vives en el presente, con intención, comprometido con la vida que llevas y decidiendo hacer un cambio consciente, estás viviendo bien, estás *teniendo éxito*, sea lo que sea lo que para ti signifique.

En un *maze* sí que hay decisiones acertadas y otras que conducen a callejones sin salida, por eso lo recorremos con la mente alerta y sin permitirnos disfrutar del recorrido, sintiendo permanentemente la ansiedad de un próximo fallo. Todo este esfuerzo para, cuando al fin atravesamos la puerta que indica «llegada», darnos cuenta que el juego ha acabado y que todo lo que teníamos era ese juego, pues la muerte nos espera al otro lado.

Teresa es una mujer muy lista y espiritual que sabe que su vida es un *labyrinth*; entonces, después de pensarlo unos días, decide que va a decir que no al traslado. En el momento actual prefiere seguir conservando las bendiciones de su vida, aunque ¿quién sabe en un futuro? Que no se mude a Valencia este año no significa que no pueda hacer un cambio similar o incluso mayor después.

Aun así, ha escuchado el mensaje que le planteaba esta elección: tiene que introducir más aventura y novedad en su vida Por ello, se está planteando hacer un viaje sola y también expandir su círculo de amistades fuera del pueblo. Además, quiere arriesgarse un poco en el amor porque los años van pasando y, aunque está muy cómoda soltera, en el fondo echa de menos a una pareja. Por lo tanto, esta decisión que se ha planteado en su vida le ha servido para confirmar las cosas que le gustan de su realidad, pero también le ha traído una brisa fresca de lo que debe cambiar.

Pero pongámonos en el caso contrario: después de meditarlo varias noches, Teresa decide «liarse la manta a la cabeza» y decir que sí a este traslado. Sabe perfectamente que será difícil, que echará de menos sus comodidades y rutinas, que va a tener momentos de nostalgia tan fuertes que le harán replantearse su decisión, pero aun así algo le incita a cambiar. «Solo vivimos una vez» y ella ya conoce lo que es tener una vida cómoda en un sitio al que pertenece, ahora quiere probar una experiencia nueva y completamente desconocida, ella que jamás se alejó más de cien kilómetros de su lugar de origen.

Como es muy consciente de lo que va a perder, habla con sus amigos y llega con ellos al acuerdo de que la visiten al menos una vez al mes o cada dos meses; de hecho, se pueden turnar, en vez de ir todos a la vez, para que esté más acompañada. En cuanto al alquiler, decide priorizar que sea un piso más pequeño pero bien decorado, lo que la lleva a reducir sus pertenencias a la mitad para no agobiarse por la falta de espacio. Y para conocer gente, lo que para ella es muy importante, se apunta a varias actividades entre semana en cuanto llega a la ciudad.

Como ves, cualquiera de las dos alternativas es buena para Teresa y conduce al disfrute de la realidad y a su crecimiento personal. La clave para que esto sea así es, como ya te he expuesto, tomar esa decisión con conciencia, sabiendo lo que ganas, lo que pierdes y qué puedes hacer para minimizar el impacto de estas pérdidas.

Y, una vez abierta la puerta elegida, se trata de ponerse a andar e ir viviendo con ilusión tanto lo que hemos podido ir anticipando como lo que el destino nos tiene reservado.

Bonita manera esta de vivir, ¿no crees?

CAPÍTULO 5

Cómo elegir entre dos o más opciones si te gustan todas

A veces el problema a la hora de tomar decisiones no es tanto el discriminar la que es adecuada de la que es inadecuada (ya hemos visto que este enfoque es limitante: las decisiones o son conscientes o inconscientes y las primeras SIEMPRE son adecuadas), sino que el dilema está en que nos gustan absolutamente todas las opciones y todas por igual.

Empecemos mencionando lo siguiente: en teoría, si te gustan todos los caminos que tienes ante ti no debería haber ningún problema. Elijas el que elijas te vas a sentir satisfecho así que ¿de qué preocuparte? ¡Elige cualquier cosa!

Sin embargo, en la práctica, tener muchas buenas alternativas por delante también provoca parálisis y ahora veremos por qué.

Para ilustrar este capítulo tomemos a Andrés, un joven estudiante de dieciocho años que tiene tantas pasiones que por esto mismo no sabe qué hacer con su futuro. De hecho, desearía que le gustara una sola cosa para así no tener que decidir.

Por un lado Andrés es un genio en matemáticas, y se ha planteado estudiar esta carrera o alguna ingeniería. Por otro, le interesa mucho la música, tanto a nivel teórico como práctico (toca el piano), acaba de finalizar el grado medio del conservatorio y otra opción que se abre ante él es continuar con su carrera musical.

Pero los desvelos de Andrés no acaban aquí. Cuando mira su futuro profesional también se ve como maestro, le gusta ciertamente enseñar y cree que su vocación puede ir por ahí, ya que es una persona curiosa que sabría transmitir su pasión por el aprendizaje a los niños.

Y por último, como a Andrés le gusta mucho viajar y los idiomas, también le gustaría cursar alguna filología o hacer un curso de enseñanza de español para extranjeros y pasar una temporada en algún Instituto Cervantes del mundo enseñando la lengua de Don Quijote.

El problema de Andrés, como puedes observar, es que tiene tantas pasiones, tan diferentes entre sí además, que no sabe cuál escoger. Cuando hace el ejercicio de ver qué gana y qué pierde con cada decisión ve claramente la divergencia que supone cada uno de estos caminos (pues no tiene nada que ver trabajar en una empresa como ingeniero, que ser músico, maestro o vivir en otro país hablando otra lengua), pero curiosamente ¡le atraen todos! Es decir, sería capaz de ser feliz en cualquier escenario, con sus pros y sus contras.

Entonces, ¿qué es lo que paraliza a Andrés y a miles de jóvenes como él, que se visualizan a sí mismos realizados llevando a cabo estudios, trabajos y estilos de vida muy diferentes?

Mirándolo de un modo más general, y no solo restringiéndonos a la elección de unos estudios, ¿qué es lo que bloquea a las personas que se autodenominan «multiapasionadas» porque tienen tantas aficiones, pasiones y cosas que se les dan bien que no saben con cuál quedarse?

La respuesta es la siguiente: el *dolor de renunciar*. O lo que es lo mismo, el pensar en lo que NO van a poder vivir si eligen un escenario determinado.

Tiene algo que ver con esto que los ingleses llaman FOMO (*Fear Of Missing Out*, miedo a perderse algo importante) que es ese sentimiento mezcla de envidia, tristeza y frustración al ver en una red social que los demás están experimentando cosas maravillosas (viajes, aventuras, noviazgos, amistades increíbles, ascensos en el trabajo, alegría, conexión emocional) mientras que nosotros estamos solos en casa y sin ningún plan, más allá de seguir enganchados a la red.

Este miedo a descartar algo importante también puede afectar a las decisiones más nimias. En una sociedad donde las posibilidades son casi infinitas el dilema no es encontrar *una* buena serie para ver por la noche, sino *cuál de ellas* elegir de entre los cientos de series maravillosas. Tampoco es un problema encontrar información instructiva, interesante o divertida, sino ¡cómo sacar tiempo para atender todos nuestros intereses!

De hecho, a casi todos nos parece frustrante no tener el tiempo suficiente para leer todos esos libros que nos encantaría leer, visitar los cientos de lugares que despiertan nuestro interés o hacer todos los planes sociales que nos proponen.

Volviendo a nuestro caso, lo que a Andrés le pone ansioso cuando se enfrenta a la decisión sobre su futuro es darse cuenta de tooodo lo que dejará de vivir si se centra en un camino. Que sí, sabe que le gustará seguramente ese estilo de vida elegido pero ¿y los otros tres que está perdiendo? ¿Por qué no puede vivir varias vidas en una?, ¿por qué?

Tener de TODO, vivirlo todo, ese es el deseo voraz de nuestra civilización...

Y desde este deseo, el renunciar a algo se vuelve intolerable.

Nos duele decir que no a cosas, conocimientos, experiencias. Nos duele tanto que a veces pasamos más tiempo pensando en lo que no vamos a poder hacer que en lo que sí estamos haciendo.

¿Qué hacer? ¿Cómo salir de esta parálisis motivada por no querer descartar algo bueno?

Pues aquí tengo otra idea para compartir contigo que espero que empiece a dinamitar ese apetito voraz de *quiero elegirlo todo* y es la siguiente: cuando estamos plenamente presentes en una situación que nos gusta y nos agrada no necesitamos nada más.

Dicho de otra manera: puedes llevar una vida plena y satisfactoria sin necesidad de que se cumplan absolutamente todos tus deseos o expectativas o vivas todas las experiencias que te parecen atractivas.

No es verdad que para ser feliz necesites «mucho» o «mucha variedad» o «que se cumplan muchos requisitos de tu lista» («soy guapo, millonario, tengo un tra-

Cuando estamos plenamente presentes en una situación que nos gusta y nos agrada no necesitamos nada más.

bajo vocacional, múltiples pasiones, una familia de cinco miembros, mascotas, amigos, viajes y una relación envidiable con mis padres; ah, y vivo sin estrés y sin experimentar emociones difíciles»).

Eso de que la felicidad o la autorrealización es una mezcla compleja y difícil de conseguir de muchos ingredientes es lo que nos han hecho creer pero, si lo piensas siquiera un poco, para ser feliz y vivir con plenitud lo único que tendrías que hacer es... *celebrar* cada día de tu vida. *Celebrar* el camino por tu *labyrinth*. Y buscar ESAS POQUITAS COSAS que realmente quieres, digamos «tus básicos», que pueden cambiar a lo largo de la vida.

La falta de saciedad que nos lleva a querer transitar varios caminos a la vez —«quiero experimentar lo que se siente al ser músico profesional, y a la vez estudiar matemáticas, y a la vez enseñar español por el mundo y a la vez enseñar durante años en un colegio, y a la vez muchas más cosas que se me ocurrirán por el camino»— tiene más que ver con un vacío interior que con el hecho de tener que elegir una alternativa y descartar el resto.

Y aquí no estoy negando o minusvalorando el hecho de ser una persona con múltiples pasiones, como un da Vinci moderno. Siempre que podamos combinar y dar rienda suelta a todos nuestros gustos, está perfecto. A lo que me estoy refiriendo es a esa angustia y parálisis que provoca para mucha gente el «me gustan tantas cosas que temo que, elija lo que elija, me sentiré insatisfecho porque no puedo elegirlo todo».

La falta de saciedad que nos lleva a querer transitar varios caminos a la vez tiene más que ver con un vacío interior que con el hecho de tener que elegir una alternativa y descartar el resto.

Es este apetito voraz e insaciable lo que puede convertirse en un castigo. Y es aquí donde entra el vacío interior como causa de esta avidez de querer experimentar todas las opciones. Es como cuando comemos sin hambre. Hay veces en que necesitamos ingerir un alimento no por necesidad, sino porque estamos aburridos, tristes, ansiosos o cualquier otra cosa. A veces este alimento nos puede calmar durante un rato, pero al cabo de unas horas (para algunos, desgraciadamente, solo unos minutos) vuelve ese vacío a hacerse presente que no tiene que ver con el hambre.

Esta situación indica que no es comida lo que necesitamos, sino otra cosa con la que la estamos sustituyendo: compañía, amor, ternura, entretenimiento, calma, descanso, compasión, conexión espiritual.

De la misma manera, cuando consumimos o pretendemos consumir la mayor cantidad de experiencias posibles, hasta el punto de que seguir un camino que nos atrae nos parece insuficiente porque los queremos TODOS, significa que hay un vacío más profundo que merece ser atendido.

La necesidad genuina de amor, compañía, ternura, entretenimiento, calma, compasión, conexión espiritual o de cualquier otra cosa, no la vamos a calmar con MÁS vivencias. No es una cuestión de cantidad o variedad.

Y al contrario: cuando interiormente nos sintamos más o menos en paz, cuando nos estemos haciendo cargo activamente de nuestras necesidades interiores,

Podemos llevar una vida plena y satisfactoria sin necesidad de que se cumplan todos nuestros deseos o vivamos todas las experiencias que nos parecen atractivas.

comprobaremos cómo seremos capaces de elegir una opción de vida y disfrutarla por entero, sin pensar en las maravillas de las otras opciones que nos estamos perdiendo.

Volviendo a Andrés, ¿qué podemos decirle como respuesta a su dilema de qué camino seguir porque le gustan todos? En primer lugar, que se relaje y deje de pensar que la plenitud está en vivir todas esas cosas a la vez. Que puede sentirse realizado estando *presente* en cualquiera de las opciones que se abren ante él. Y que si en algún momento siente que le falta algo, que busque en su interior en lugar de plantearse cambiar de rumbo, esperando que una determinada decisión externa satisfaga todos sus anhelos.

Como resumen de esta primera reflexión: descartar solo es doloroso cuando existe en nosotros un vacío emocional. Porque cuando nos sentimos llenos, o hacemos algo para estarlo, no necesitamos vivir diez vidas, sino solo una con plena conciencia.

En segundo lugar, en este asunto de qué hacer cuando nos gustan varias opciones también podemos jugar con otras variables de las que hablaremos en el *Capítulo 7* de este libro. Y la primera de ellas es analizar si las alternativas son mutuamente excluyentes, porque en muchos casos no es así y se pueden compatibilizar varias de ellas.

Por ejemplo, para Andrés sería posible seguir tocando el piano y a la vez estudiar la carrera de Matemáticas (tendría que sacrificar algo de tiempo libre pero sería posible). O también podría decantarse por estudiar un Grado en Educación Primaria, que le capacitaría para enseñar en colegios, y al mismo tiempo hacer un curso de enseñanza de español para extranjeros. Ambas son dos actividades relacionadas con el aprendizaje de idiomas que se complementan bien la una a la otra.

Es decir, en muchos casos podemos encontrar alguna manera creativa de encajar varias de nuestras pasiones, *hacer esto Y también lo otro*, en vez de basarnos en ese punto de vista que supone que tiene que ser *una cosa O la otra*.

También podemos organizar muy bien nuestro horario para que nos dé tiempo a desarrollar dos actividades muy diferentes. O podríamos elegir una de nuestras pasiones como trabajo y dejar la otra como una afición (ser músico profesional y entretenernos con las matemáticas en el tiempo libre). O buscar una alternativa en la que nuestros intereses converjan (muchas universidades ofertan un doble grado en el que se estudian dos disciplinas similares a la vez).

Me viene a la mente ahora el caso de una tarotista a quien visité una vez, amiga de un amigo mío, que disfrutaba en su tiempo libre aprendiendo química (¡!) y que profesionalmente se dedicaba al tema de la estética y los masajes. Más mezcla que esa...

Otra alternativa que tenemos disponible para no descartar una opción profesional, pasión o estilo de vida que nos gusta, además de simultanear las acciones, es realizar una después de otra.

Es decir, Andrés podría estudiar el Grado de Maestro y luego proseguir con su carrera musical o viceversa. O bien podría plantearse convertirse en ingeniero, trabajar en una consultora unos años pero con la visión puesta en que en un momento dado se pedirá una excedencia y probará a dar clases particulares de matemáticas o en un colegio privado, a ver si le gusta, o se mudará a otro país con la expectativa de ser profesor de español tras hacer el curso correspondiente.

De hecho, esta forma de actuar es cada vez más frecuente. Ya no es nada raro ni está mal visto, como podría serlo hace unos años, que las personas viren en su vida profesional (¡que me lo digan a mí!); pueden empezar trabajando en algo relacionado con sus estudios universitarios y a los cinco años decidir estudiar y ejercer de algo bien diferente.

En definitiva, cuando muchas cosas nos apasionan, estas dos alternativas —compatibilizar opciones diferentes o disponerlas a lo largo del tiempo—, nos pueden satisfacer y poner un punto de variedad que resulta esencial en nuestra vida.

No obstante, no olvides lo siguiente: no se necesita experimentar absolutamente todo lo que a uno le gusta para llevar una vida satisfactoria. Eso es un espejismo. Necesitamos escuchar las demandas de nuestro mundo emocional, atenderlas, y luego en el mundo exterior elegir uno de esos caminos atractivos que se dibujan ante nosotros con la tranquilidad de que lo que encontraremos será más que suficiente.

CAPÍTULO 6

Cómo decidir si todas las opciones te parecen malas (y piensas que, hagas lo que hagas, te vas a equivocar)

Llegamos a un punto interesante. Acabamos de ver qué nos ayuda a decidirnos si todas las alternativas nos parecen buenas, que es una situación que puede resultar paralizante por esto mismo, porque nos gustan todos los platos del menú.

Veamos ahora una situación que, a priori, parece más agobiante: cómo tomar una decisión cuando no nos gusta ninguna alternativa, o sea, cuando no tenemos esperanza de encontrar ninguna solución satisfactoria para el futuro.

Voy a distinguir dos casos diferentes dentro de esta problemática de qué hacer si todas las alternativas nos parecen indeseables y voy a utilizar un ejemplo para cada uno de ellos.

Cuando las opciones no son tan malas, en realidad

El primer caso es aquel en que nuestra percepción de que todas las opciones son terribles no es real. Es decir, cualquier elección tiene consecuencias positivas pero nuestra parálisis, el miedo a equivocarnos, o ser autoexigentes e implacables con nosotros mismos nos lleva a pensar que, hagamos lo que hagamos, el resultado va a ser desastroso.

Para ilustrar este punto tenemos el caso de Sergio, un diseñador gráfico de treinta y ocho años y que tiene pareja desde hace tres. Su vida profesional va viento en popa, tiene amigos, buena salud y vive en Francia con su novia, Cécile, con la que la relación es estable y armoniosa. No obstante, está envuelto en un dilema del que no sabe salir y que le mantiene despierto varias noches seguidas.

Cécile le ha expresado su deseo de ser madre, algo a lo que Sergio se resiste (porque no sabe si quiere tener hijos en este momento ni en un futuro) y le ha dicho que, en caso de que él rechace la idea, sintiéndolo mucho, prefiere romper la relación y buscar a otra pareja que desee igualmente formar una familia.

Ante Sergio se abren dos posibilidades: decir que sí y buscar la paternidad o bien romper con su novia y así dejarle vía libre para encontrar otro hombre con expectativas afines. ¡El problema es que ninguna de estas disyuntivas le gusta! Es más, es que el futuro le parece negro en ambos casos...

Lo que él querría sería seguir igual: sin hijos y con su pareja, al menos un tiempo más. Pero esa opción ni la contempla porque ama a su novia y no quiere convencerla en contra de sus deseos o hacerle una promesa —«tendremos hijos el año que viene»— que no sabe si luego va a cumplir.

Cécile tampoco quiere que Sergio le diga que sí por complacerla y luego se arrepienta de la decisión tomada y, llegado el momento y aun con todo el dolor que conllevaría, prefiere romper a obligarlo a hacer algo de lo que no está seguro.

Visto así parece un dilema difícil y sin salida ¿verdad?

Quiero que volvamos un momento a Sergio y a sus sentimientos con respecto a esta situación. Él se siente acorralado porque solo está pensando en lo que PIERDE con cada elección.

Si elige ser padre, considera que pierde para siempre su libertad y le da miedo tomar una decisión que va a ser irrevocable y puede dañar a otros —«¿y si no quiere suficiente al niño, o no sabe cuidarlo, o le arruina la vida por ser un mal padre?»—. Por otro lado, lo cierto es que a Sergio le gustan los niños, siempre le han gustado, y hace años sí deseaba ser padre. Lo que sucede es que se ha enfriado conforme han ido pasando los años hasta el punto de que se ve feliz sin hijos, pero a sus treinta se visualizaba en el futuro rodeado de dos o tres retoños.

La otra solución, la de romper con su pareja, le apena muchísimo porque es una chica a la que quiere, se mudó a Francia por amor y a día de hoy tienen una vida bonita juntos: comparten casa, tienen amigos comunes, proyectos de futuro, se llevan bien con sus familias. No obstante, Sergio es un hombre independiente y muy sociable y sabe que si terminara esta relación, aunque echaría de menos a Cécile, no iba a sentirse solo. Tiene a otras personas con las que puede contar y además, incluso, empieza a atraerle la idea de ser soltero de nuevo... Podría volver a su país de origen, viajar más, hacer más planes sociales para los que ahora no tiene tiempo. Si te fijas, aquí está sucediendo algo interesante. Cuando Sergio mira la realidad de forma neutral, saliendo de esos escenarios apocalípticos modelados por sus miedos en los que *pase lo que pase*, será negativo, se da cuenta de que ambas opciones... ¡son buenas, en realidad!

Tener hijos no es algo que vaya en contra de sus valores de vida, aunque sienta los miedos naturales que entraña una decisión de ese calibre. Y dejarlo con su novia para él no sería una catástrofe sino una nueva etapa que, a pesar del duelo inicial, le brindaría otras cosas positivas. Además, de esta manera, Sergio se asegura de que la deja libre para cumplir su deseo de ser madre.

¿Cuántas veces nos sucede esto a nosotros? El pensar que un futuro incierto es terrible cuando lo vemos a lo lejos, pero cuando nos acercamos, como en este caso, y examinamos las consecuencias con objetividad vemos que podríamos encontrar satisfacción en todos los caminos. De hecho, puede haber incluso más emoción en esos cambios que no queremos asumir que en seguir igual. Solamente tenemos que quitarnos los velos del miedo y el conformismo para verlo.

Hay una frase maravillosa del escritor y mitólogo Joseph Campbell, que a mí me ha acompañado varios años en mi propio proceso de transformación, que dice así:

«Debemos dejar ir la vida que hemos planeado para poder aceptar la vida que nos está esperando».

Hay algo misterioso y lleno de poder en esta frase... Algo que nos remite a ese *labyrinth* que te presenté páginas atrás.

Planear nuestra vida está muy bien, es algo que como *coach* recomiendo para vivir con más intención: plantéate objetivos, incluso sueños locos, y trabaja para cumplirlos.

Y sin embargo, hay veces en que hay que paralizar por un momento nuestros planes (o incluso dejar ir, como decía Campbell) y analizar qué nos está proponiendo la vida...

Tal vez tenemos enfrente nuestro una ruta que no es la que habíamos imaginado, pero que puede estar llena de satisfacciones, y nos negamos a considerarla porque estamos centrados únicamente en nuestros planes, en esas expectativas que tenemos en la cabeza y que creemos que tienen que cumplirse sí o sí para ser felices.

Esto es un poco lo que le pasa a Sergio, que se siente en un callejón sin salida porque cree que la mejor opción es la que él tenía en mente: seguir con su novia y sin hijos.

No obstante, cuando desiste de esta posibilidad, cuando la deja morir porque ya no puede ser (eso nos vendría bien a todos: dejar de resistirnos a lo que no puede ser y dejarlo morir, en vez de aferrarnos obstinadamente a ello), y mira hacia las dos opciones que se le plantean con mera curiosidad, ve que ambas le proponen una vía de crecimiento interesante: cuidar de niños, lo que en sí mismo es una aventura o volver a ser un hombre soltero, con una mayor cota de libertad que le agrada.

Por lo tanto, decida lo que decida va a estar bien; de hecho es muy probable que cualquiera de esos dos caminos sea mejor que seguir estancado en su vida actual, como él pretendía.

La vida es crecimiento, aventura, lucha y descanso, probar cosas, levantarse, caer y experimentar una amplia gama de situaciones que suponen *estar vivo*. Las nuevas etapas no solo son inevitables (a veces irrumpen en nuestra vida como un rayo violento si nos aferramos con demasiada fuerza a lo conocido), sino que han de ser bienvenidas y celebradas.

En resumen, la solución cuando te encuentres en esa encrucijada con varios caminos que suponen cambios que te resistes a transitar, es dejar de poner el foco solamente en lo que pierdes y mirar también lo que puedes GANAR. Y despedirte mentalmente de la etapa que estás viviendo que ya ha llegado a su fin…

Cuando objetivamente todas las alternativas suponen altos sacrificios

Dejemos a esta pareja a un lado y vamos a analizar un caso diferente: qué se puede hacer cuando todas las alternativas que se nos presentan son, objetivamente, poco deseables. Analizaremos cómo tomar una decisión cuando hay una pérdida muy importante en cualquier forma

A veces hay que paralizar por un momento nuestros planes y analizar qué nos está proponiendo la vida.

de actuar, y no está influyendo tanto el hecho de que la persona está muy apegada a su situación presente.

Para ejemplificar este caso hablaremos de Carolina, una madre reciente que se enfrenta a la decisión de qué hacer con su vida y su trabajo cuando se termine su baja maternal de veinte semanas. Carolina tiene un trabajo que le gusta (o al menos, le gustaba) como participante de un proyecto de investigación en una universidad.

En principio estaba segura de que se reincorporaría al trabajo sin problemas y con alegría tras su permiso de maternidad, pero ahora que tiene a su bebé en los brazos no lo tiene tan claro... De hecho, la idea de dejar a la niña en la guardería tan pequeña le parte el alma; si llora y la reclama cuando se separan solo un ratito, ¿cómo se sentirá en toda la jornada? También le entristece la idea de perderse durante seis u ocho horas cada día momentos inolvidables de su hija, por no hablar de que estará más cansada si decide volver a trabajar y, por tanto, con menos disponibilidad emocional y paciencia para tratarla.

Por otro lado, el dinero en su familia no sobra y además el trabajo de Carolina es profundamente vocacional. Estaba inmersa en un proyecto de investigación al que quedan unos pocos meses para culminar y si Carolina decide tomarse unos meses más de excedencia no podrá reengancharse a este proyecto al que tantas horas y tanta energía destinó en el pasado. Teme que se arrepienta de haber dejado la investigación a medias y, de alguna manera inconsciente, acabe «pagándolo» con la niña.

Cuanto más mira ambos caminos más se desespera Carolina, pues no desea separarse tantas horas de su bebé (y sabe que no es lo idóneo para una criatura de apenas cuatro meses) pero la alternativa de abandonar su trabajo la sumerge en preocupaciones acerca del dinero («¿puedo permitirme prescindir de mi sueldo? ¿y si luego no me contratan de nuevo?») y de su trayectoria profesional («después de lo que he luchado por este proyecto, ¿cómo abandonarlo ahora?»)

Como ves, aquí no se trata de que la persona vea su situación con excesiva negatividad, como en el caso anterior, sino que realmente escoger una opción u otra exige pagar precios muy altos.

Si bien algo que ayudaría en este proceso de elegir qué hacer es pensar qué se GANA con cada opción en vez de centrarnos solamente en qué se pierde, como veíamos en el ejemplo de Sergio, en una situación donde las consecuencias negativas son de mucho calado, son necesarios dos pasos más para tomar una decisión que nos deje calmados y en paz.

Estos dos pasos son los siguientes:

En primer lugar, cuando nos encontramos en la disyuntiva de tener que elegir entre opciones que no nos gustan hemos de hacer un *clic mental* que consiste en asumir la realidad y abandonar la expectativa de que existe una solución ideal.

Muchas veces lo que hacemos, sin darnos cuenta, cuando postergamos una elección y decimos que «lo estamos pensando», es esperar a que ocurra un milagro y que aparezca, o se nos ocurra, una alternativa que no nos exija pagar ningún precio. Como la niña que espera con inocencia a que venga un hada madrina que la convierta en una hermosa princesa y le permita ir a una fiesta fuera de su alcance, así nosotros vamos demorando el momento desagradable de elegir algo que no nos conviene con la vana esperanza de que en el último momento encontraremos un arreglo mágico.

Sin embargo, cuando no hay ninguna salida favorable a la vista, no tiene sentido que sigamos esperando para tomar la decisión o pensando una y otra vez, en bucle, en nuestras alternativas, ¡eso solo nos va a llevar a sentirnos cada vez más agobiados! Lo más sensato y lo que nos va a traer alivio, al final, es aceptar las cartas que nos han tocado… Asumir nuestra existencia como es y dejar de compararnos con los demás y sufrir por la injusticia de que nuestra vida sea más complicada.

En nuestro ejemplo, Carolina no puede quedarse en casa con su bebé sin tener consecuencias negativas en su trabajo. Otras mujeres sí pueden permitirse pedir excedencias sin mayores consecuencias, pero no ella, esa es la realidad. Tampoco puede retomar su actividad investigadora sin que su bebé sufra por la separación, y esto es biología pura: los bebés sufren alejados de sus madres.

Mirar la realidad cara a cara, con toda su crudeza, es un acto de valentía y aceptación pero que, como digo, trae alivio. También podemos sentir tristeza, rabia o envidia porque otras personas lo tienen más fácil, y efecti-

Cuando nos encontramos en la disyuntiva de elegir entre opciones que no nos gustan hemos de abandonar la expectativa de que existe una solución ideal.

vamente puede ser así, y admitir estos sentimientos es parte del proceso.

Una vez que partimos de la base de que no hay una resolución perfecta y que el precio a pagar es alto, ahora sí podemos hacer el análisis que entraña cada elección de qué ganamos y perdemos en cada caso y elegir el escenario que ahora mismo más resuena con nosotros, aun sabiendo que no es el ideal. Porque, recordemos, cualquier decisión consciente es una buena decisión. Que una elección sea dura de tomar no significa que sea inadecuada.

Hay una segunda cosa que podemos hacer cuando ambas opciones nos plantean caminos difíciles y es elegir compensar los aspectos negativos. En vez de gastar una energía inútil en desesperarnos o en sentir celos de otras personas que no están en nuestra piel, podemos encargarle a nuestra cabecita que nos dé opciones para minimizar los efectos de las consecuencias negativas que vamos a experimentar.

En el ejemplo de Carolina, si finalmente ella decide retomar su trabajo como investigadora y dejar a la niña al cuidado de otras personas, puede intentar, en primer lugar, que esa guardería a la que va a llevarla sea la que tiene un trato más amoroso de las que existen en su ciudad o que esté lo más cerca posible del trabajo para perder poco tiempo en desplazamientos.

Además, si Carolina sabe que la niña va a echarla de menos tantas horas, se propone que una vez que salga del trabajo la va a tener pegada a ella todo el tiempo. Va

Que una elección sea dura de tomar o implique pagar altos precios no significa que sea inadecuada.

a utilizar una mochila de porteo para llevarla a sus recados y también para cargarla mientras estén en casa. Va a dormir junto a la bebé, en la misma cama, para compensar «corporalmente» todas esas horas que pasan lejos. Va a hacer una lista de cosas divertidas o agradables que pueden hacer cuando la lleve y cuando la recoja de la guardería para que la niña lo viva como un momento de cierta ilusión. Y por supuesto, sabe que le tocará tener más paciencia porque la bebé estará más irritable, sobre todo los primeros días.

A cambio de todo esto, ella tendrá esa tranquilidad económica que le proporciona su sueldo y no se descolgará del proyecto de investigación que le apasiona y por el que tanto ha luchado. Eso sí, se ha prometido firmemente no llevarse nada de trabajo a casa y tener la mente donde tiene que estar en cada momento: en la universidad, centrada en su investigación; fuera de ella, totalmente enfocada en su bebé.

Ahora imaginemos la opción contraria: Carolina decide renunciar temporalmente a su trabajo, a pesar de las consecuencias que pueda tener en su trayectoria como investigadora, y quedarse en casa con su hija. Para compensar la pérdida económica ha hecho un plan de austeridad que tiene que cumplir a rajatabla: elimina gastos que no son absolutamente necesarios, cambia su alimentación a una más frugal y empieza a comprar ropa y otros elementos de segunda mano, también para su hija. Se plantea, asimismo, pedir prestado algún dinero a sus familiares, aunque es algo que le avergüenza un poco, pero sabe que ese momento incómodo merecerá la pena por estar con su hija.

En cuanto a la frustración que puede sentir por haber abandonado su proyecto profesional, Carolina decide que va a darse entre una y tres horas, todos los días, mientras la niña duerme la siesta junto a ella, para leer y formarse en temas que le interesan. Para ella el conocimiento sigue siendo importante y sabe que su mente necesita la información tanto como su cuerpo el alimento. Además, se ha propuesto escribir a su jefa de departamento una vez cada semana o quince días para preguntar por los avances en la investigación y ofrecer su ayuda, incluso aunque sea de manera no remunerada.

No obstante, al igual que en el caso anterior, Carolina tiene muy claro que su mente tiene que estar donde está su cuerpo: si ha elegido pasar todo el día con su hija no es para estar pensando en el trabajo o en lo que deja atrás obsesivamente; se permitirá que su mente analítica se nutra en esas horas de lectura o mientras redacta los correos electrónicos a su departamento de investigación, pero el resto del tiempo entrará en «modo mamá» que es lo que ha decidido.

Si te fijas, este paso de planear de antemano cómo vamos a hacer frente a las consecuencias negativas de nuestras elecciones nos deja con cierta sensación de sosiego. Carolina sabe que su realidad no es perfecta; le hubiera gustado que la maternidad le pillara en otro momento o que la vida investigadora no fuera tan exigente, pero ha decidido lidiar con sus circunstancias de la mejor manera posible. Y esto no solo le trae cierta paz interior, sino una emoción poderosa de que está a cargo de su vida y tiene fortaleza para enfrentar con creatividad los desafíos que se le pongan por delante.

En resumen, ¿cómo tomar una decisión cuando no te gusta ninguna alternativa de las que se te presentan? Los puntos clave son los siguientes:

1. Deja de aferrarte a la posibilidad de que querrías seguir como estás y no tienes que elegir. No, esto no es posible, tu vida ha llegado a un punto crítico y solo puedes seguir caminando. Así que mentalmente despídete de la etapa en la que te encuentras y acepta con madurez las limitaciones de cada elección.

2. A continuación, pon el foco en lo que puedes ganar con cada alternativa, no solo en lo que pierdes. ¿Cuáles son las consecuencias positivas de cada una? ¿Obtendrás más dinero, tranquilidad, bienestar, crecimiento personal, la excitación de comenzar una aventura? ¿Tu decisión hace feliz o proporciona bienestar a otra persona, además?

3. Por último, reconcíliate con la idea de que esa decisión te va a exigir sacrificios pero intenta que estos sean lo más suaves posibles. Dentro de lo que es factible, emprende acciones para compensar las consecuencias negativas que traerá cada resolución, como hemos visto en el caso de Carolina.

Vivir con madurez consiste en abandonar nuestras fantasías sobre lo que debería ser y abrazar lo que ya es, jugando las cartas que nos han tocado de la mejor manera posible.

Hay momentos en que tenemos que dejar de «pedir cosas» a la vida: «no quiero esto, ni tampoco lo otro, quisiera que las cosas no fueran así» y enfocarnos en jugar las cartas que nos han tocado de la mejor manera. Si nuestra decisión va a suponer un período de duelo, tristeza o cambios abrumadores, estemos preparados para asumirlos y minimizarlos todo lo que podamos.

En esto consiste vivir con madurez: en abandonar nuestras fantasías sobre lo que debería ser y abrazar lo que ya es, creando el mejor escenario posible.

CAPÍTULO 7

Algunas cuestiones que te pueden ayudar a elegir una alternativa satisfactoria

Como hemos hablado largo y tendido a lo largo de este libro, la clave para tomar *buenas decisiones* es sencillamente ser conscientes de lo que ganamos y perdemos en cada caso y asumirlo. Punto. Cualquier decisión, CUALQUIERA, es buena si cumplimos este requisito.

Sin embargo, tal vez te estés preguntando qué sucede una vez que has hecho este ejercicio de indagación y de predecir qué consecuencias traerá cada opción. Si bien todas, bajo este prisma, son conscientes y por tanto buenas, ¿cómo decantarnos por una? ¿Qué elegir finalmente?

Si te has fijado, en todos los ejemplos que he puesto a lo largo de este libro no he tomado la decisión por ninguno de los protagonistas (excepto el primero, el caso de Patricia, para ilustrar la idea de comprometerse con una relación), porque he querido por todos los medios alejarme de esa idea tan extendida de que existe un camino más conveniente que el otro. En todos los casos hemos visto qué les sucedería al elegir el «camino A» y el «camino B» y todas las alternativas resultaban apetecibles y adecuadas.

Elegir finalmente la ruta de la derecha o la que va en dirección opuesta depende de lo que a cada uno más le apetezca experimentar en ese momento. Es más, incluso podríamos echarlo a suertes... No hay nada de malo en pedir al azar que decida por ti siempre y cuando el paso más importante esté hecho: el análisis consciente de lo que va a implicar esa decisión.

No obstante, hay algunas preguntas que pueden ayudarnos a explorar con más profundidad las alternativas disponibles o, una vez hecho esto, a decantarnos por alguna de ellas.

Vamos a verlas una por una.

¿Esa elección se puede deshacer?
O sea, ¿se puede volver atrás?

Algo que nos quita mucha presión a la hora de elegir es saber que podemos rectificar pasado un tiempo.

La verdad es que la mayoría de las decisiones no están escritas en piedra ni son para siempre; sin embargo, actuamos sometidos a tanta tensión como si así lo fuera, como si al abrir una puerta no pudiéramos volver atrás si lo que encontramos no se ajusta a nuestras expectativas.

Pienso que esto obedece a esa idea nefasta que dice *no te puedes equivocar* y que considera rectificar como un error, cuando en realidad y como dice el dicho «rectificar es de sabios».

Muchísimos jóvenes universitarios se sentirían con menos ansiedad si supieran que, si eligen unos estudios que al cabo de unos meses les llevan al desinterés, pueden cancelar la matrícula e intentar otra cosa, nada ni nadie les obliga a terminar una titulación que no les gusta. Sí, por supuesto, existe una pérdida (aunque no me gusta llamarlo así) de tiempo y dinero que no se va a recuperar pero ¿es esto tan grave? ¿No vamos, muchas veces, a lo largo de la vida, a realizar malas inversiones económicas? ¿No podríamos utilizar esta inversión fallida para ser más conscientes del valor del dinero? ¿Y qué importa «perder» un año cuando uno tiene tan solo veinte? ¿Acaso los adultos no malgastan varios años sumidos en depresiones y enfermedades incapacitantes?

Hay pocas decisiones que no se puedan revertir. Tener un hijo es una de ellas y también rechazar una oportunidad de esas que son únicas en la vida: por ejemplo, una propuesta de matrimonio de alguien que se muda de la ciudad al día siguiente, sin dejar rastro, o un viaje que ha surgido en el último momento. Sin embargo, una gran cantidad de elecciones sí permiten volver atrás si el resultado no es el esperado.

Utiliza este hecho a tu favor para quitarte presión a la hora de elegir y olvídate de todas esas tonterías de que una *vida correcta* es aquella sin mácula y error porque además, ¿quién quiere vivir una vida *correcta*? Lo que anhelamos todos en el fondo, bajo los velos de la buena educación, la complacencia a otros y el miedo, es una vida excitante y plena, sabrosa, con profundidad y con un sentido más allá de la mera subsistencia y, en esa vida, las rectificaciones son parte ineludible.

En definitiva, aprovecha el hecho de tener la opción de rectificar en una decisión para lanzarte hacia un camino con toda la ilusión del mundo.

¿Puedes conseguir más información de lo que presumiblemente va a traer esa elección?

Para elegir con conciencia no basta con que tu mente haga un inventario de los puntos positivos y negativos que conllevará cada elección, a veces hay que acudir a fuentes de información externas.

Un ejemplo sería, si estás pensando en hacer un cambio de ciudad, la conveniencia de hacer una cierta investigación de cómo es la vida en ese nuevo lugar: meteorología, ambiente, todo lo concerniente a vivienda, aspectos culturales y sociales, etc.

O si estás pensando en entrar a trabajar en un determinado sector empresarial, que no conoces de primera mano, puedes hablar con personas que forman parte de dicho sector y preguntarles lo bueno y lo malo de ese trabajo o investigar un poco en foros de Internet.

Por supuesto que la vida siempre tiene su parte de misterio e imprevisibilidad (a Dios gracias) con lo cual aunque obtengamos mucha información tenemos que estar abiertos a sorpresas. No obstante, esta parte de investigación es imprescindible para valorar con conciencia ciertas opciones de vida que difieren mucho de nuestras experiencias, y además este proceso, lejos de ser aburrido, es excitante en realidad.

Aprovecha el hecho de tener la opción de rectificar en una decisión para lanzarte hacia un camino con toda la ilusión del mundo.

Creo que todas las personas que en la infancia o adolescencia hemos leído novelas de jóvenes detectives hemos fantaseado con que nos topábamos con un enigma que podíamos investigar con nuestro grupo de amigos. Yo recuerdo con mucho cariño la serie de libros de *Trixie Belden*, que tomaba prestados de la biblioteca de mi pueblo, luego más tarde llegó a mis lecturas el inimitable Sherlock Holmes.

Si bien la mayoría no hemos tenido estas aventuras apasionantes, en nuestra vida adulta podemos darnos el placer de investigar sobre las cosas que nos gustan y nos gustaría realizar y hacer de este proceso algo entretenido.

Si en tu caso estás pensando en mudarte de barrio o de ciudad (o incluso de país) ¿por qué no, en vez de leer sobre ese lugar o mirar cuánto valen los alquileres por Internet, haces un viaje de unos cuantos días para recopilar información y sentir si te gusta la atmósfera general?

¿O por qué no contactar a través de LinkedIn con personas que trabajan en determinada empresa y ofrecerles tomar un café para que te cuenten sus experiencias, aunque sea virtual?

O si en tu caso no sabes si te gustaría estudiar o no en la universidad, o por cuál decantarte si te atraen varias ¿por qué no hacer visitas en persona a cada uno de los centros durante la temporada escolar? Tu cometido sería infiltrarte en ese ambiente y transitar por los pasillos, por la cafetería, por la biblioteca, incluso entrar a alguna clase concurrida donde nadie se extrañe de tu presencia como un estudiante más, imaginando cómo sería tu futuro allí.

Y por último, si hay alguien que te gusta y te atrae muchísimo, nunca está de más un poquito de investigación en Google o Facebook para saber más sobre su vida (sin caer en extremos siniestros y obsesivos ¿eh?) y luego comentar el resultado de tus pesquisas con tus amigas. Que levante la mano quien no lo ha hecho...

En resumen, conviértete en un detective de tu propia vida, es divertido y te ayuda a elegir mejor.

¿Hay alguna manera de hacer una prueba a menor escala de lo que conlleva esa decisión?

Aparte de investigar y recabar información, otra manera más fiable aún de conocer lo que entraña una elección es lo que podríamos llamar una *prueba a menor escala* de la misma.

Como ejemplo, si estás pensando que te gustaría ganarte la vida como veterinario porque adoras a los animales, antes de embarcarte en formaciones que suponen muchas horas de estudio y esfuerzo, podrías probar a colaborar como voluntario en una clínica de animales o en una perrera. De esta manera, puedes tener una visión más acertada de lo que supone un trabajo de este tipo, que va mucho más allá de ese pensamiento un tanto ingenuo de «como me gustan los animales, puedo dedicarme a esto».

Otras maneras de probar, a pequeña escala, los efectos de una decisión que tenemos en mente sería el vivir una temporada en un país al que nos queremos mudar, cuidar de los sobrinos para ver si nos gustaría tener hijos propios, convivir cierto tiempo con una persona antes de comprarnos una casa juntos o practicar nuestras habilidades hortícolas en un huerto urbano si en el futuro soñamos con irnos a vivir al campo y recolectar nuestra propia comida.

La cuestión es, si te cuesta escoger entre dos alternativas: ¿podrías experimentar un poquito de lo que implica cada una de ellas?

Si es así, ¡adelante! Seguro que te ayuda a decidir con mucha más claridad.

¿Puedes compatibilizar más de una opción?

A veces creemos que las disyuntivas que se abren ante nosotros son excluyentes, pero no siempre tiene que ser así.

Estamos acostumbrados a pensar en términos de *esto O lo otro* y poco entrenados en generar, con creatividad, situaciones en las que coexistan *esto Y lo otro*.

¿No se puede ser a la vez madre Y una buena profesional? Y aquí no estoy hablando de mitos pasados de moda como el de la *superwoman* que puede con todo; estoy hablando de cómo generar un estilo de vida en el que coexistan varios roles en armonía, lo cual no es fácil pero es posible.

En el ejemplo que vimos en el *Capítulo 5* del estudiante al que le gustan opciones académicas muy diferentes, ya estuvimos valorando que es posible combinar varias pasiones. Si bien la formación universitaria es exigente, uno puede plantearse compatibilizarla con una actividad deportiva o artística que va a aportarle más entusiasmo y energía. Hay muchas personas que tienen formación científica, pero les encanta la literatura y acaban escribiendo libros de ficción en sus ratos libres.

Veamos otro caso: alguien que tiene una enorme inquietud de empezar un negocio propio pero no quiere perder la estabilidad que le otorga su empleo fijo. Podría comenzar creando un emprendimiento en paralelo, en sus ratos libres, y simultanear ambos trabajos hasta que los resultados futuros (el éxito o el fracaso de ese emprendimiento) le permitan tomar una decisión fundamentada de para dónde proseguir con su vida profesional.

Lo cierto es que cuando nos abrimos a la posibilidad de que cosas muy diferentes pueden coexistir empezamos a generar alternativas.

Entonces plantéate: ¿y si no tuvieras que descartar ninguna opción, al menos de momento? ¿Habría alguna manera de combinar un poquito de la «opción A», y de la «opción B» e incluso de la «opción C»?

A veces, esta manera de cómo combinar actividades diferentes no aparece de la noche a la mañana, sino tras varios días de dar vueltas a la cabeza a distintas posibilidades, o preguntar, o mirar por Internet, o quién sabe si la respuesta se nos aparezca en un sueño o irrumpa de manera inesperada mientras nos damos una ducha.

Lo que es seguro es que, cuando planteamos una pregunta a nuestra mente, si tenemos paciencia, acabamos obteniendo una respuesta.

Por lo tanto, antes de asegurar rotundamente que no se pueden mezclar dos opciones, date al menos unos días para pensarlo.

¿Cómo puedes compensar los inconvenientes de esa elección?

Como ya hemos visto en el capítulo anterior, esta pregunta se vuelve crucial cuando tenemos que decidir entre alternativas que tienen un alto coste. Cualquier camino que escojamos en la vida va a tener sus puntos negativos; de hecho es la fantasía de que existe una *opción perfecta* y sin inconvenientes la que nos mantiene en la inmovilidad.

Cuando una persona se ha puesto el objetivo de crear una obra de arte en su tiempo libre (por ejemplo, un disco musical) pero a la vez no quiere renunciar a sus ratitos de televisión, a esas cañas tan agradables con los amigos o a sus paseos por el campo de tres horas... pues mal asunto. Ese proyecto tiene muchas papeletas de estancarse para siempre.

Ahora bien, el proponernos minimizar esos sacrificios o dificultades que entrañan nuestras elecciones, nos ayuda a comprometernos con cualquiera de ellas.

Esta persona que quiere grabar un disco en sus horas libres después del trabajo, lo que conlleva bastante esfuerzo, puede prometerse a sí misma que dos días a la semana los va a seguir dedicando a lo que le gusta (la tele, los amigos, los largos paseos) y además que, des-

Cuando nos abrimos a la posibilidad de que cosas muy diferentes pueden coexistir empezamos a generar alternativas.

pués de un mes de trabajo intenso, se va a dar un premio para celebrarlo.

Te recomiendo encarecidamente que una vez que has analizado los pros y los contras de las alternativas de las que dispones, te pares un momento a plantearte cómo podrías suavizar el impacto de esas consecuencias negativas. O dicho de otra manera, cómo puedes facilitarte la vida.

Considero que esto es algo de tremenda importancia: una decisión siempre tenemos que encararla con ganas e ilusión, no abrumados por los sacrificios que nos va a exigir, y una manera de conseguirlo es poniendo toda nuestra intención en que el trayecto sea lo más agradable posible.

¿Qué aprendes o qué partes de ti mismo desarrollas al elegir ese camino?

Generalmente, las personas tendemos a elegir la opción más fácil o favorable de las que se nos plantean, lo cual no tiene nada de malo y es aconsejable en muchos casos. Un ejemplo: si te dan la posibilidad de mudarte a una casa más grande, más bonita y para colmo más económica, ¿cómo vas a decir que no?

Sin embargo, a veces un factor que nos puede llevar a inclinar la balanza hacia la alternativa que supone un reto mayor, y que vemos como más desfavorable, es que justamente lo que estamos buscando es *asumir retos*.

Partamos de la idea de que en la vida es imposible no aprender, de la misma manera que es imposible no crecer emocionalmente conforme cumplimos años, aunque tengamos la sensación de que éramos personas más sabias y atrevidas en el pasado (seguramente en el pasado éramos más inconscientes o más felices de manera superficial, pero la experiencia vital siempre se acumula, como los años).

A veces son las circunstancias externas las que nos hacen crecer interiormente sin que nosotros lo hubiéramos previsto, como cuando una enfermedad complicada, una ruptura sentimental o un despido en el trabajo nos obligan a hacer introspección y reenfocar nuestra vida, y este evento acaba siendo, con el tiempo, una bendición más que una tragedia.

Ahora bien, este proceso de crecimiento no siempre tiene que provenir de fuera en forma de crisis imprevistas. Uno puede elegir conscientemente tomar un camino que le va a hacer madurar y aprender sí o sí.

Nuestro anterior protagonista, Sergio, puede elegir el camino de la paternidad como una manera de pasar a una nueva etapa llena de desafíos y enseñanzas de lo más variado.

Otra persona que está cómodamente instalada en su puesto de trabajo puede elegir ascender porque quiere probarse a sí misma que es capaz de asumir ese liderazgo. Esto sería una oportunidad de desarrollo particularmente importante si esa persona arrastra una baja autoestima desde la adolescencia y nunca se vio ocupando un lugar relevante.

También el caso contrario tiene mucho sentido: alguien seguro de sí mismo y acostumbrado a dar órdenes puede rechazar un puesto prestigioso de directivo para experimentar qué se siente al tener menor responsabilidad, más tiempo libre y una identidad más allá de su rol profesional de jefe.

No hay una regla que estipule en qué momento nos conviene elegir la alternativa más fácil o la que requerirá un mayor crecimiento personal, pero algo que te puede ayudar a saber si te vendría bien un reto es lo siguiente: si has notado que repites siempre el mismo patrón, si de hecho llevas prácticamente toda tu vida actuando de determinada manera, y de repente surge la posibilidad de hacer algo totalmente diferente, ¡lánzate!

Imagínate que eres una persona introvertida que disfruta del silencio, los libros, el estudio y el contacto social con gente muy selecta, pero de repente, la vida te pone por delante el trabajar de profesor en un instituto, un lugar lleno de «adolescentes salvajes» que van a cuestionar absolutamente todo lo que les digas, pues... ¿por qué no?

Y dejo claro que si algo te horroriza y te va a suponer perder la salud, entonces no te incitaría a hacerlo por mucho crecimiento que suponga. No obstante, si en medio de ese terror que te inspira una opción, anida una pizca de diversión, una curiosidad juguetona que te invita a probar, entonces abrir la puerta que esconde el camino de mayor aprendizaje es una buena decisión.

¿Qué alternativa está alineada con tus valores?

Nuestros *valores de vida*, es decir, aquellas cualidades o conceptos que consideramos importantes (la libertad, el confort material, el conocimiento, la amistad, la ternura o el desarrollar nuestra perseverancia) nos guían también a la hora de tomar decisiones en momentos determinados.

Frente a otros autores que ven los valores como una seña de identidad que mantenemos constante a lo largo de la vida, yo pienso que estos, muchas veces, van evolucionando conforme crecemos y cambian nuestras circunstancias.

Cuando somos jóvenes, por lo general, tenemos cierto gusto por el riesgo y por la novedad, quizá preferimos estar rodeados de gente y no nos importa dormir en una habitación con diez personas más si eso nos permite viajar por toda Europa por unos pocos euros; pero a los cincuenta años, tal vez añoramos más tranquilidad y un mínimo de lujos a la hora de viajar.

Para mí, incluso, los valores pueden cambiar de importancia de año en año. A veces uno tiene que volcarse más que nunca en el trabajo, porque está iniciando un negocio o necesita los recursos económicos para ayudar a su familia, y en un momento de mayor estabilidad económica se permite centrarse en los placeres de la vida y en las relaciones.

Según la cualidad del momento que estamos atravesando nuestros valores serán unos u otros y esto en la toma de decisiones nos ayuda a decantarnos por la opción que esté más alineada con aquellos.

Si para mí en este momento es muy importante enriquecer mi vida social, porque la he descuidado toda mi vida (de joven tenía que estudiar muchísimo y cuando empecé a trabajar apenas tenía tiempo), si me encuentro ante una disyuntiva en la que un camino me exige más soledad y otro me lleva a aumentar el contacto social, siempre que tome una decisión consciente y meditada, la segunda opción es más prometedora.

Y al contrario, si en una época determinada de mi vida tengo la llamada interior de seguir una vocación que había olvidado, como que siempre quise ser terapeuta porque soy el «paño de lágrimas» de mis amigos, familiares y de medio barrio, cualquier opción que me lleve a comprometerme con el estudio y la práctica de esa vocación será preferible a otra que priorice mi vida social.

Si en tu caso no tienes muy claro cuáles son tus valores, o los tienes tan claros que te has encadenado a ellos y te apetecería cuestionarlos, te invito a visitar el artículo de mi blog titulado: *Cómo definir tu brújula personal para los próximos meses*. Escribe este título tal cual en Google y luego añade puedoayudarte.es, que es mi web.

En este artículo propongo un ejercicio muy rápido pero fiable para definir tus tres valores prioritarios en menos de quince minutos, valores que puedes utilizar como elemento extra para guiarte en la toma de decisiones o para definir objetivos que te gustaría alcanzar. Espero que te sea útil.

¿Qué es lo que más te apetece vivir?
O ¿qué dice tu intuición?

Todas las preguntas que hemos examinado hasta ahora para profundizar en las encrucijadas que se te presentan o decidirte por una de ellas suponen un empleo racional de la mente. Y este capítulo quedaría incompleto si nos quedáramos ahí. Porque hay un aspecto de nuestro ser, mucho más salvaje y rico, al que también conviene darle voz.

Si bien, a la hora de sopesar los pros y contras de cada alternativa propongo enfáticamente que seas analítico, una vez hecho esto, justo cuando llega ese instante singular de decantarte por un camino, también puedes consultar a tu intuición.

La *intuición* se puede definir como un conocimiento que tenemos acerca de algo pero sin que podamos saber cómo hemos llegado a construirlo.

Una puede saber intuitivamente que, entre viajar por el mundo una vez terminados los estudios y aceptar ese trabajo que le han propuesto en su ciudad natal, la segunda alternativa es *la que le corresponde tomar*, aunque en principio vea más ventajas en recorrer el mundo a sus veintidós años y vivir experiencias. Meses después, en esa oficina y haciendo un trabajo rutinario, conoce a quien será el amor de su vida, padre de sus hijos, y con quien viajará a lugares exóticos algunos años después...

Este es un ejemplo un tanto idílico de lo que puede desencadenar una intuición, porque en la mayoría de los casos no nos suceden cosas tan fascinantes cuando hacemos caso de nuestra voz interior. Aun así, si cumplimos las condiciones para tomar una decisión consciente —ese análisis de pros y contras que tanto hemos detallado— podemos confiar el veredicto final a un pálpito interior.

Una pregunta que nos ayuda a conectar con lo que intuitivamente queremos es la siguiente: «¿qué me apetece vivir?»

No es qué quiero hacer, qué me conviene o qué sería lo lógico. Es algo más sutil y más amplio a la vez: *lo que me apetece experimentar*.

Así pues, y para finalizar este capítulo, te sugiero que una vez que hayas hecho todo el trabajo mental descrito hasta ahora, te des un momento para respirar, para contactar con tu sabiduría visceral o bien con una inspiración de tipo espiritual y, desde ahí, elijas lo que vas a hacer a continuación.

¿Qué te apetece vivir? ¿Qué grita o susurra tu intuición?

Si te es difícil escuchar esta voz de la intuición el único consejo que tengo para darte es: *persevera*. Inténtalo un día, otro día y otro día. Te aseguro que al décimo, o al décimo cuarto, algo vas a sentir.

Eso sí, siempre recomiendo que demos a las decisiones una fecha límite para no pasarnos la vida en ese vestíbulo lleno de puertas cerradas (el *limbo*) mientras la vida emocionante sucede al otro lado.

Entre tomar una decisión impulsiva y demorarse años en escoger una alternativa hay un margen de tiempo amplio. Seguro que tú sabes delimitar cuál sería un plazo razonable para ti.

CAPÍTULO 8

Tu hoja de ruta para tomar decisiones

Espero que mientras leías este libro hayas asentido con la cabeza más de una vez, lo que quiere decir que has encontrado algunas verdades que necesitabas redescubrir. Si, además, has sentido cómo la tensión que te genera una decisión se iba suavizando conforme ibas leyendo, o si por un instante, aunque sea solo un mínimo instante, has conectado con esa metáfora del laberinto y con la idea de que una vida plena puede conseguirse de muchas maneras y hay decenas de decisiones acertadas, me doy plenamente por satisfecha.

En este apartado y a modo de resumen, me gustaría ofrecerte una especie de «receta» genérica para ayudarte en tus futuros procesos de elección.

Estos son los tres pasos que propongo para decidir bien, con determinación, con entusiasmo y, cómo no, con conciencia.

1. Visualiza o escribe las opciones de las que dispones.

2. Estudia lo que va a implicar cada una de ellas, en concreto: ¿qué ganas con esa decisión? y ¿qué pierdes? Asume estas consecuencias. Plantéate también si hay algún modo de minimizar los aspectos negativos.

3. Ahora quédate con una de ellas desde la tranquilidad de que, asumiendo con conciencia los costes y beneficios, todas las opciones son buenas. Una pregunta que puede guiarte es: «de estos dos escenarios, ¿cuál es el que más me apetece vivir?»

¡Y listo, ya lo tienes, buena suerte en tu camino! La receta básica para tomar buenas decisiones se acaba aquí.

Quizá te has quedado un poco decepcionado porque te esperabas un complicadísimo proceso de valoración y ponderación pero eso iría en contra de todo lo que he explicado en este libro... Y es que, y esto es importante, la vida es demasiado preciosa como para pasarnos la mitad de ella en el *limbo* de la indecisión o angustiados intentando descifrar cuál es la opción correcta.

No hay que darle a las decisiones más tiempo del estrictamente necesario.

No obstante, si buscas una «receta» un poquito más pormenorizada para tomar decisiones, con más detalles que te ayuden a sentirte seguro del camino a tomar, aquí la tienes, en seis pasos, que tampoco son demasiados.

Una nota importante antes de seguir.

Hasta este momento tú has ejercido el papel de paciente interlocutor. Yo he compartido contigo unas ideas y ejemplos que considero valiosos y tú me has escuchado con calidez. Pero llegó el momento de que pases a un rol más activo.

Una pregunta que nos ayuda a conectar con lo que intuitivamente queremos es la siguiente: «¿qué me apetece vivir?»

A continuación te describo cuál es la hoja de ruta para tomar decisiones conscientes y no vale con que asientas a lo que digo y leas los pasos tranquilamente en el sillón. Tienes que tomar lápiz y papel y escribir tus respuestas.

Insisto, en este momento tienes que abandonar tu papel de *lector* y transformarte en *escritor*, o si lo prefieres, en un analista o asesor de aquellos a los que las empresas consultan sus problemas y, en su despacho, analizan los datos y elaboran soluciones y alternativas.

Es más, en tu caso el proceso de toma de decisiones puede incluir una pequeña etapa de investigación en la que analices con detalle tus opciones.

Yo te aseguro que si destinas al menos treinta minutos a escribir las conclusiones de los pasos propuestos en esta hoja de ruta, aunque sea superficialmente y en medio del autobús porque tienes una vida muy ocupada y es complicado sacar tiempo de silencio para ti, la claridad que vas a encontrar va a ser enorme.

Si pudiera, te sacudiría ahora mismo por los hombros y te diría: «¡vamos, no te saltes esta parte del proceso, es esencial!» Como no puedo físicamente obligarte a hacer esta introspección escrita utilizo mis palabras para persuadirte.

Por otro lado, si realmente estás en medio de una elección que te agobia mucho y no puedes ni pensar en escribir sobre ella, pide ayuda. Pídele a un amigo que lea estas páginas contigo y que escriba por ti las respuestas, que incluso te dé su punto de vista y que luego te lea todas tus respuestas seguidas. Si no tienes a nadie de confianza a quien acudir, solicita la ayuda de un terapeuta sobre este punto particular.

Sobre todo, no te permitas a ti mismo quedarte angustiado, atascado en la indecisión que se está comiendo tu energía vital. Hacer este ejercicio puede dar un poco de pereza, o quizás te paralice el miedo o el perfeccionismo, pero este es un precio muy pequeño en comparación con el alivio, la claridad y la determinación que sentirás después.

Así pues, vamos, te espero, levántate de la silla, prepárate un café bien rico —o una cerveza fría, lo que gustes— toma lápiz y papel o abre el bloc de notas del móvil y realiza conmigo el siguiente ejercicio.

Ahora sí, vamos allá: tu hoja de ruta para tomar decisiones en seis pasos.

Paso 1.

Piensa las opciones de las que dispones y escríbelas. Lo más adecuado es limitarte a dos alternativas o como mucho tres, que serán las más importantes. Realmente poquísimas veces tenemos que elegir entre más caminos.

Te puede ayudar hacer este paso en dos partes: primero colocas un título a esa decisión (ejemplo: ACEPTAR EL TRABAJO /vs/ RECHAZAR EL TRABAJO) y a continuación detallas lo que implica cada opción sin meterte en ninguna valoración (qué tipo de trabajo es, el horario, el sueldo, las responsabilidades que implica, etc.)

Paso 2.

Ahora sí, llega el momento de valorar cada alternativa, pero olvídate de hacerlo en una escala numérica. Te propongo, sencillamente, que escribas para cada elección las consecuencias positivas y negativas que tendría. Tómate tiempo para este paso pues es el más importante. Haz un ejercicio de visualizarte viviendo esa situación y detalla las alegrías y los desafíos o renuncias que implicaría cada preferencia. Después, asume este escenario. Este es un paso invisible pero de enorme importancia. *Asumir* implica dejar de pelearnos con la vida y con sus límites y dejar de buscar una opción perfecta y sin complicaciones. *Asumir* puede consistir en algo tan sencillo como, una vez que tengas tu escenario descrito delante de ti, decir interiormente: «lo acepto, acepto cómo es este escenario futuro y veo tanto la belleza como los sacrificios que entraña. No voy a esperar a que aparezca una alternativa ideal y me comprometo a tomar acción».

Paso 3.

Ahora repasa algunas cuestiones que hemos visto y que te pueden ayudar a ver con más claridad cada escenario:

a. ¿Puedes rectificar esa decisión y volver atrás pasado un tiempo? ¿Qué implicaría eso?

b. ¿Cómo puedes obtener más información de qué te depararía el futuro en cada caso?, ¿qué puedes investigar?

c. ¿Podrías hacer una pequeña prueba o simulacro antes de decidir?

d. ¿Puedes compatibilizar más de una opción?

e. ¿Qué aprendes o qué desarrollas de ti mismo en cada caso?

f. ¿Qué alternativa está alineada con tus valores actuales?

g. ¿Qué dice tu intuición? ¿Qué *sientes* que debes hacer, aunque no sabrías explicar por qué?

Paso 4.

Llegó el momento de decantarte por alguna de las alternativas. Yo no recomiendo hacer aquí un trabajo analítico y de valoración numérica. El trabajo analítico lo has hecho en los dos pasos anteriores al listar los costes y beneficios de cada opción y responder a las preguntas.

Más bien, atiende a la sensación global que te aporta cada alternativa y una pregunta que te puede ayudar es: «¿qué es lo que más me apetece vivir ahora?»

Escucha a tu cuerpo. Debe haber algún escenario que te resuene más que otro. Y si no, siempre te queda la opción de lanzar una moneda al aire y tomar ese camino.

Recuerda para qué estamos en esta vida: para amar, para gozar, para aprender, para sortear dificultades, para caer y levantarnos, para saborear las experiencias, para ayudar a los demás. La realización no depende tanto de QUÉ hagamos sino del CÓMO. Si el azar tiene que decidir por ti en un momento dado, ¡bienvenido sea!

Paso 5.

Si mirando esos escenarios que has creado realmente no te sientes atraído por ninguno, o si notas que persiste la angustia de que te puedes equivocar, date más tiempo. Ponte una fecha límite para tomar la decisión y, en este tiempo, sigue pensando sobre qué ganas y pierdes en cada caso. O sencillamente no pienses nada nuevo y limítate a repasar de vez en cuando tus notas. Vas a ver que pasados unos días o unas semanas te empieza a llamar más la atención un escenario que otro.

A veces, todo lo que necesitamos para decidir con determinación es que se asienten nuestras ideas y para eso el tiempo es un aliado.

Por otro lado, si tu decisión implica elegir un camino nuevo o quedarte en el que estás y no lo ves claro, la salida que puede dejarte más en paz, por el momento, es no hacer ningún cambio y quedarte en el trabajo actual, en la relación actual o en la ciudad en la que vives, pero eso sí, comprometiéndote con la realidad que esta elección implica. Resulta muy adecuado poner una fecha para volver a revisar de nuevo tu decisión que seguro que está mucho más clara después de este período de compromiso.

Recuerda que en el *Capítulo 2* hablábamos de la importancia de poner tu cuerpo y tu alma en la op-

La realización no depende tanto de QUÉ hagamos sino de CÓMO.

ción que has elegido y eliminar mentalmente el resto de opciones. Ahora bien, esto es más fácil decirlo que hacerlo...

Si has elegido que vas a conformarte con tu trabajo al menos durante cuatro meses y dejar de martirizarte con que deberías hacer otra cosa (llevas años en esa disyuntiva de «quiero cambiar mi rumbo laboral» pero nunca has hecho nada, y has decidido darte un tiempo de tregua) realmente tienes que hacer un esfuerzo consciente en traer a tu mente al aquí y ahora y, cada vez que una vocecita te lleve a cuestionar tu decisión, acallarla y pedirle que te ayude a mejorar tu situación actual.

Este es un trabajo diario, constante, paciente. Aceptar lo que uno tiene, incluso *amarlo*, si ha decidido deliberadamente no cambiarlo, es un enorme reto. Un reto interior, además, que son los más complicados. Y esta aceptación no es otra cosa que, cada vez que la mente se enrede en razonamientos vacuos, cada vez que la sorprendamos cuestionando algo que ya decidimos que iba a ser de una determinada manera, tenemos que cortar ese flujo de pensamientos y traerla al presente. Al cuerpo. Al estudio. A una conversación.

Podemos pedirles también a nuestros amigos y familiares que, cuando delante de ellos volvamos a «dar la brasa» y a dudar de una decisión que ya estaba tomada, nos corten de raíz y no nos dejen hablar. Que no nos dejen enredarnos y nos recuerden lo que habíamos decidido en un momento de lucidez y por qué. Esta contundencia, repetida día tras día, es la que nos permitirá salir del *limbo* y enfocarnos en el *aquí y ahora*, el único lugar donde podemos desarrollarnos con plenitud.

Paso 6.

Tras haber tomado una decisión (¡sí, lo hiciste!) una última cosa que te sugiero hacer es pensar cómo podrías compensar sus aspectos negativos.. Por ejemplo, si vas a mudarte a una ciudad nueva pero sabes de antemano que echarás de menos a tus amigos, ve buscando desde este momento actividades sociales donde puedas conocer a gente nueva o consigue que tus amigos te prometan que, al menos los primeros meses, irán a visitarte una vez al mes. Sedúcelos con comida deliciosa y planes novedosos si es necesario.

¡Y listo! Espero que con esta hoja de ruta no haya obstáculo mental que se interponga en tu camino. No necesitas más pasos que estos para tomar decisiones con determinación y confianza en el futuro.

En la figura que aparece al final de este capítulo puedes ver un esquema muy resumido de todo el libro, donde se especifican los supuestos que se te pueden presentar a la hora de tomar decisiones y cómo operar en cada caso.

Espero que esta figura, junto con estos pasos que acabamos de definir, te ayuden a no quedarte bloqueado e indeciso en ninguna disyuntiva. Recuerda: hay que pasar el tiempo viviendo, no en el limbo de la indecisión.

SITUACIÓN A

Tienes que elegir entre hacer un cambio en tu vida o seguir como estás

Evalúa consecuencias positivas y negativas de ambas opciones. Ásumelas.

¿Puedes hacer una pequeña prueba o simulacro de lo que conllevaría tu decisión en cada caso?

Determina una fecha límite para tomar la decisión y evitar caer en el limbo.

→ Si no lo acabas de ver claro...

Elige quedarte como estás pero comprométete con esa elección, con tu presencia y tu corazón.

Si lo ves claro...

Toma una decisión

SITUACIÓN B

Tienes que elegir entre varias alternativas y todas te gustan

Busca si puedes construir una opción que combine aspectos de más de una de ellas.

Evalúa consecuencias positivas y negativas de estas nuevas opciones. Ásumelas.

Elige una con la tranquilidad de que, si te agrada, *una cosa es suficiente*, pero deja anotadas las demás opciones por si puedes realizarlas un tiempo después.

¡HECHO: ¡YA ESTÁ, TODO BIEN!
¡Una decisión consciente siempre es buena!
¡Ánimo y valor en tu camino!

SITUACIÓN C

Tienes que elegir entre varias alternativas y todas te parecen indeseables

Acepta la situación que estás viviendo. No te han tocado las mejores cartas pero vas a jugar la partida lo mejor posible. Evita compararte.

Evalúa consecuencias positivas y negativas de estas opciones. Pon el foco en lo que ganas en cada caso.

Busca maneras de compensar o minimizar esas consecuencias negativas de cada elección.

Elige la que esté más alineada con tus valores del momento o la que, según tu intuición, te deja más tranquilo.

©Joslis Vivas

Recursos adicionales para descargar

Para agradecerte la compra y lectura de este libro hemos preparado algunas sorpresas para ti en esta página: https://www.puedoayudarte.es/laberinto/
Entre otras cosas, podrás descargar un documento en pdf con todos estos pasos desglosados para que te sea más fácil seguir esta hoja de ruta.

Si vas al enlace que te acabo de indicar verás que para entrar te pide una contraseña. Escribe en mayúsculas la sexta palabra del capítulo siguiente, el de conclusión, y a ver qué sucede...

¡Que disfrutes mucho de estos materiales!

Conclusión

Dentro de nosotros hay un caminante sensible e intrépido que sabe a lo que ha venido a este mundo. Un caminante que no tiene miedo de experimentar, ni de fallar, y que tiene a su disposición una aguda inteligencia, experiencia vital e intuición para guiarle en su travesía. Este caminante, por lo general, desde muy pequeño se ha visto mermado y coartado por las imposiciones externas. Unos padres demasiado críticos, una sociedad en la que se valora el *tener* o el *hacer* por encima del *ser*, horas de abandono y soledad que le impiden desarrollar su potencial (pues la energía ha de ser dirigida a la supervivencia en vez de al crecimiento) van ahogando a ese viajero audaz que entendía intuitivamente *de qué va esto;* es decir cuál es el propósito de la existencia.

Si a nivel de sociedad y de civilización viviéramos de otra manera, si de niños pudiésemos recibir todo el calor, el acompañamiento, la mirada, las canciones, los mimos, las experiencias variadas y el amor incondicional que necesitamos —que es muchísimo, más de lo que los padres en muchos casos están en disposición de dar a causa de unos horarios locos de trabajo y de las propias heridas no visibilizadas— no acabaríamos convertidos en estos adultos que se castigan duramente por tomar una elección inadecuada. Adultos que acaban siendo el peor enemigo de ellos mismos. Sería rica si me dieran un euro cada vez que alguien (sobre todo mujeres) me ha escrito o dicho esta frase de: «yo soy mi peor enemiga».

En definitiva, si muchos de nosotros, desde pequeños, no hubiéramos gastado una parte importante de nuestra energía vital en complacer a otros o sobrevivir a la soledad, a la incomprensión o a ciertos tipos de violencia, hoy tampoco elegiríamos encajonarnos en una existencia lo más tranquila posible porque nos abruman los retos y las dificultades. Como una planta de fuertes raíces, totalmente resguardada cuando más lo necesitó, nos abriríamos confiados al sol y al agua y resistiríamos los embates de un vendaval con fortaleza. Hay mucho que revisar para desaprender en nuestra propia historia. Y también hay mucho que recuperar... Entre otras cosas, al caminante original.

Y aquí quiero darte una excelente noticia. Y es que a pesar de nuestros tropiezos en la vida, de nuestros miedos y de nuestras heridas por las experiencias vividas, un caminante invencible y conectado con su destino sigue viviendo dentro de nosotros. Quizá escondido en una cueva oscura a la que podemos tardar años en llegar, pero no se ha ido (nunca lo hará) y permanece ahí esperando una llamada, la nuestra.

Mientras nosotros, por fuera, podemos temblar de preocupación y angustia al encontrarnos ante una encrucijada, este caminante lo que siente es excitación y curiosidad. Disfruta del sol en la cara mientras mira con atención esos caminos que se abren ante él, caminos polvorientos pero que aguardan aventuras sin fin.

Este caminante no quiere desperdiciar más tiempo del que es absolutamente necesario dando vueltas a una

A pesar de nuestros tropiezos en la vida, de nuestros miedos y de nuestras heridas, un caminante invencible y conectado con su destino sigue viviendo dentro de nosotros.

decisión, porque quiere pasarse el tiempo viviendo. No obstante, tampoco actúa por impulsividad o por ceguera. Una *decisión impulsiva* es inconsciente y, por tanto, es una *mala decisión*, ya que la *impulsividad* consiste en tomar un camino a la desesperada en un intento de evitar confrontarnos con nosotros mismos y con el presente.

Nuestro caminante no tiene miedo a mirar dentro y fuera de sí mismo. Ante una encrucijada se sienta en el suelo con un rico bocadillo que lleva en la mochila y entonces analiza sus opciones, se hace las preguntas pertinentes, espera el tiempo que sea necesario (que a veces será un día, otras veces pueden ser dos años, hasta que una *buena decisión* madura) y luego emprende, silbando, la ruta elegida, sabiendo que el trayecto no será perfecto, que conllevará riesgos y pérdidas, pero es el que tiene ganas de recorrer.

Deseo que este libro te ayude a despertar a ese caminante que aguarda dormido dentro de ti.

Espero que mires bajo otro paradigma las decisiones a las que te estás enfrentando ahora y las que vendrán en el futuro. Que te olvides de que hay opciones *correctas* e *incorrectas* y que si eliges las segundas has fallado y tienes la obligación moral de castigarte por ello. Sí, hay gente que se castiga toda su vida por una decisión desacertada, qué lejos están de sus caminantes.

Solo hay decisiones *conscientes* e *inconscientes*, y las primeras siempre son buenas, recuérdalo.

Por último, la vida es mucho más que seguir un caminito ordenado y sin tachones. Vivir plenamente, compro-

Vivir plenamente, comprometidos con las decisiones que elijamos, es mucho más interesante que obsesionarnos con no cometer errores.

metidos con cada una de las opciones que elijamos, sintiendo unas veces la rugosidad de unas piedras bajo nuestros pies, otras el mullido tacto de una alfombra de hierba, es mucho más interesante que obsesionarnos con no cometer errores.

Tu camino y el mío se separan aquí, por ahora. Yo seguiré marchando por tierra firme, que soy mujer de interior, y veo que tú vas a tomar ahora un barco con dirección a un puerto lejano. Que los vientos soplen a tu favor y, quién sabe, quizá otro día coincidamos por ahí. En ese caso, tomaremos una rica comida para celebrar el resultado de nuestras decisiones y compartir nuestras aventuras, que seguro que serán muchas y variadas.

¡Buena suerte y hasta siempre, viajero!

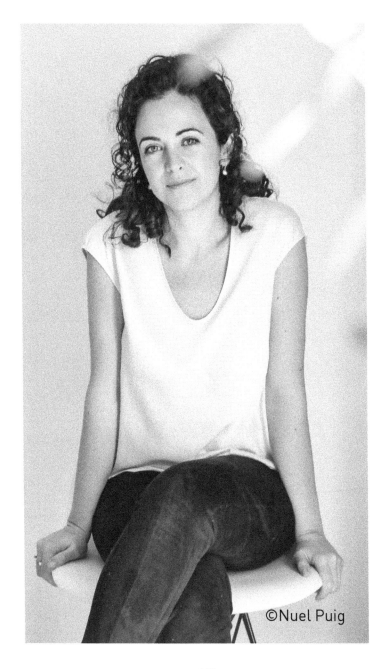

©Nuel Puig

Sobre la autora

Amparo Millán es *coach* personal y ayuda a las personas a encontrar claridad, confianza y conexión con su propósito a través de un proceso profundo de autoconocimiento, en el que se persigue no solo «solucionar» un problema sino sobre todo entender cuál es su origen. Utiliza tres herramientas en su trabajo: el *coaching*, la metodología de la *Biografía Humana* creada por Laura Gutman y el uso del tarot terapéutico.

Además de hacer terapia de forma individualizada, le apasiona escribir y diseñar cursos de formación en temas de desarrollo personal.

Puedes encontrarla en su web (www.puedoayudarte.es), en Facebook, (www.facebook.com/PuedoAyudarteCoaching) en Instagram (@soyamparomillan) y también unirte a su club de los sábados (www.puedoayudarte.es/unete) donde comparte con sus lectores reflexiones inspiradoras tres veces al mes.

Te esperamos, solo faltas tú.

Lightning Source UK Ltd.
Milton Keynes UK
UKHW011532090921
390292UK00002B/400